Prod No.	P100034
Date	20.09.19
Supplier	Shangai Offset

T.P.S	240 x 172 mm, portrait
Extent	144pp total in 4/4 (cmyk)
	printed on 140gsm uncated woodfree paper
Ends	FRONT: Pantone rhodamine red U (throughout)
	BACK: 1/1 (PMS 165 U orange) on 140gsm uncoated woodfree
PLC	4/0 (cmyk) on 128gsm gloss art over 2.5mm greyboards
	with matt lamination 1 side only + Spot UV spine only
Binding	Section sewn in 16pp. Fully cased-in, PLC cover over 3mm grey
	boards, square back, H&T bands (GF 103, yellow).

REBEL ARTISTS

Für Nelly

15 Malerinnen, die es der Welt gezeigt haben

Geschichten und Illustrationen von

KARI HERBERT

Aus dem Englischen
von Frank Sievers

C.H.BECK

INHALTSVERZEICHNIS

DAS MANIFEST

Du möchtest auch ein Rebel Artist werden?

Dann nimm dir einen Pinsel, einen Stift
Oder was du gerade zur Hand hast ...

Glaub an dich.
Lass deiner Phantasie freien Lauf.

Sei mutig.
Mach dich groß.
Und jetzt zeige, was du kannst ...

Und denk immer daran:
Du bist großartig.
Du kannst erschaffen, was du willst.
Kunst kennt keine Regeln ...

EINLEITUNG

Künstler sind unglaublich einfallsreich. Aus allem erschaffen sie etwas: aus Farbe und Kohle, Draht, Papier, Glasscherben, Zeitungen, Fotos, Garn, Stoff und sogar aus Makkaroni. Und ebenso groß ist die Bandbreite dessen, was sie darstellen: von schlichten Punkten über Gemüse bis hin zu Mode und ungewöhnlichen Landschaften, von schwindelerregenden geometrischen Formen bis hin zu feinfühligen Porträts.

In diesem Buch geht es um großartige Künstler – die zufälligerweise allesamt Frauen sind. Seit Tausenden von Jahren erschaffen Frauen Kunst, malen Bilder, meißeln Skulpturen. Und das an allen nur erdenklichen Orten: in der Arktis, der Wüste, im Dschungel, auf Bergen und in Tälern. Ein paar von ihnen haben sogar unter Wasser Kunst gemacht. Einige haben neue Kunstformen erfunden oder Farbe und Materialien auf völlig neue Art und Weise eingesetzt. Einige haben mit ihrer Kunst die Welt in Frage gestellt. Doch wie einflussreich ihre Kunst auch war, wie gewagt ihre Experimente, wie beeindruckend ihre Fähigkeiten und wie großartig ihr Einfallsreichtum – nicht immer bekamen sie den Ruhm und die Anerkennung, die sie verdient gehabt hätten.

Viele Frauen in diesem Buch mussten Hindernisse überwinden, um herausragende, in ihrem Beruf ernst genommene Künstlerinnen zu werden. Fast alle mussten sich mit Vorurteilen auseinandersetzen. Einige gegen Krankheiten oder Ängste ankämpfen. Manche mussten sogar ihre Bilder verstecken, um nicht ins Gefängnis zu kommen. Aber diese Frauen haben sich durch nichts und niemanden von ihrer Kunst abbringen lassen.

Für viele Künstler ist die Kunst eine Sprache, in der sie ihre Gedanken, Ideen und Gefühle ausdrücken, die sich mit Worten nicht beschreiben lassen: all die Dinge, die in jedem einzelnen, einzigartigen Menschen vor sich gehen. Und es ist phantastisch, etwas zu erschaffen, was die Fähigkeit hat, Millionen von Menschen im Herzen und im Geiste zu berühren. Kunst hat eine große Kraft.

Leider konnte ich nur fünfzehn Künstlerinnen in dieses Buch aufnehmen. Liebend gern hätte ich noch viele weitere genannt. Es gibt unzählige Künstlerinnen zu entdecken, die ebenso begabt und aufregend sind. Man könnte noch viele Bücher damit füllen!

Aber was ist mir dir? Vielleicht findest du ja in diesem Buch ein paar Anregungen und wirst selbst der nächste große Künstler deiner Generation. Wenn du Kunst machen willst, dann mach sie einfach. Auch wenn du sie am Anfang womöglich noch nicht perfekt findest – alles, was du machst, ist ein Schritt auf deinem Weg. Selbst die größten Künstler haben klein angefangen. Und denk immer daran: Dein Geschlecht bestimmt nicht, ob du kreativ sein darfst oder nicht. In der Kunst gibt es keinen richtigen oder falschen Weg. Es gibt nur deinen Weg.

Kari Herbert

KENOJUAK ASHEVAK

ICH BIN EINE EULE,

UND ICH BIN EINE GLÜCKLICHE EULE.

ICH BIN DAS LICHT DES GLÜCKS,

UND ICH BIN EINE TANZENDE,

GLÜCKLICHE EULE.

DIE GLÜCKLICHE EULE

Der Wind tobte um das Qarmaq. Er zog und zerrte an dem Zelt aus Robbenfell, drang herein und ließ das Licht der Tranlampe flackern. Eine Haarsträhne fiel ihr ins Gesicht. Aber sie blickte starr geradeaus, während ihre Hand den Bleistift bewegte. Ein ungewohntes Geräusch, das dumpfe Kratzen des Bleis auf dem Papier. Zum ersten Mal hielt sie einen Bleistift in der Hand, zum ersten Mal sah sie ein Blatt Papier – beides war aus der anderen Welt zu ihr gelangt. «Es ist so dünn wie die Schale vom Ei eines Schneevogels», dachte sie.

Plötzlich entstand eine Kontur. Die Zeichnung war geheimnisvoll und schön, vertraut und zugleich wie aus einer anderen Welt. Kenojuak steckte sie sich in den Amauti und ging hinaus. Unter ihren Lederstiefeln knirschte der Schnee. Die Kälte kroch in ihre Kleidung, aber der lange dunkle Winter war fast vorbei, und am Horizont glomm schon das Leben mit seinen Möglichkeiten. Bald würde die Sonne aufgehen und wieder Licht spenden.

Wachende Eule, 1997

Geboren wurde Kenojuak in einem Iglu im Inuit-Camp Ikirasaq, im Süden der zu Kanada gehörenden Baffininsel. Ihr Vater war Jäger und Pelzhändler, aber er kam ums Leben, als sie noch ganz klein war. So brachten ihre Mutter und Großmutter ihr bei, was sie zum Überleben können musste: im Sommer Beeren und Eiderenten-Eier sammeln, im Winter durch ein Loch im Eis fischen. Genau wie ihre Vorfahren fuhren sie gemeinsam von Camp zu Camp. Um Essen kaufen zu können, nähten sie aus Robbenfell Taschen und andere Utensilien und

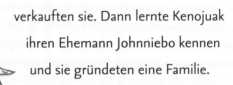

verkauften sie. Dann lernte Kenojuak
ihren Ehemann Johnniebo kennen
und sie gründeten eine Familie.

Doch Kenojuak erkrankte an
Tuberkulose, weshalb die Ärzte sie
von ihren Kindern trennten und in ein
Krankenhaus in Quebec brachten. Drei Jahre
lang durfte sie ihre geliebte Familie nicht sehen. Unterdessen starben
ihre Kinder, weil sie verdorbenes Walrossfleisch gegessen hatten. «Da
muss etwas in mir zerstört worden sein», erinnerte sich Kenojuak,
«denn als ich das hörte, wäre ich fast selbst gestorben. Es war mir egal,
ob ich lebe oder tot bin.» Doch irgendwann ging es ihr wieder besser
und sie durfte zurück nach Hause.

1966 zogen Kenojuak und Johnniebo nach Kinngait, ein modernes Dorf,
wo ihre Kinder zur Schule gehen konnten. Die Weißen nannten es Cape
Dorset und wohnten in Holzhütten. Die meisten Inuit dagegen hatten
immer noch ihre gewohnten Zelte aus Robbenfell. Die Dorfbewohner
schnitzten Bilder in Knochen – die sogenannte Beinschnitzerei – und
beschäftigten sich mit Kunsthandwerk. Aber niemand machte Bilder
oder Zeichnungen. Bis James und Alma Houston kamen. Und mit ihnen
ein neues Leben begann.

Die Houstons kannten die traditionelle Handwerkskunst, die Frauen wie
Kenojuak herstellten, und fragten sich, ob sich daraus moderne Kunst
erschaffen ließe. Erst verstand Kenojuak nicht, was James und Alma
damit meinten, weil in ihrer Sprache kein Wort für «Kunst» existiert. Da

gab Alma ihr einige Bleistifte und Papier und James fragte sie, ob sie etwas zeichnen könne. Als Kenojuak den beiden ihr fertiges Bild überreichte, sagte sie, es zeige ein Kaninchen, das Seetang frisst.

Die Houstons waren fasziniert von Kenojuaks Bild, wie viele andere auch. Schon bald wurden Drucke ihrer Zeichnungen angefertigt. Anfangs bat Kenojuak einen Jäger, die Steine für ihre Drucke zu behauen. Er hatte starke Handgelenke vom Werfen der Harpune und half Kenojuak gern, aber sie wusste, dass er eigentlich lieber jagen ging. Das Leben wurde nun leichter für sie, wobei weder Kenojuak noch ihre Familie oder Freunde vergaßen, dass die Menschen im Dorf litten, wenn die Jäger mit leeren Händen heimkamen.

Die Drucke verkauften sich auf der ganzen Welt, von Paris bis Tokio, Orte, von denen Kenojuak noch nie gehört hatte. Sie experimentierte mit allen Materialien, die Künstler benutzten – Plakatfarben, Filzstifte, Wasserfarben, Tinte, Wachsmalstifte. Besonders gern mochte sie es, wenn ihr Zelt vom Duft der Wachsmalstifte erfüllt war! Sie ermunterte andere zum Zeichnen und half ein Atelier aufzubauen, das gemeinschaftlich von Inuit-Künstlern betrieben wurde. Es ist heute das produktivste Inuit-Kunstzentrum der Welt.

Die fleißige, unabhängige Kenojuak wurde als

Sechsteilige Harmonie, 2011

Pionierin der modernen Inuit-Kunst bekannt. Sie erhielt viele Auszeichnungen, manche nannten sie sogar die «Großmutter der Inuit-Kunst». In späteren Jahren reiste sie um die Welt, um bei den Ausstellungen ihrer Werke dabei zu sein, aber die Arktis, ihre Gemeinde, ihre Familie und die Kunst selbst waren ihr immer wichtiger als der Ruhm.

Einige ihrer Bilder sind schwer zu verstehen – so wie das Leben manchmal schwer zu verstehen ist. Von ihren elf Kindern überlebten nur fünf. Aber Kenojuak hatte viele Enkel. «Meine Gabe», sagte sie einmal, «besteht darin, dass ich mit meinen Zeichnungen für sie sorgen kann. Sie sind nicht einfach nur Kunst, sie dienen meinem Leben und meiner Familie.»

Noch als alte Frau träumte Kenojuak immer wieder von dem Moment, in dem sie ihre erste Zeichnung machte. Sie wohnte nun nicht mehr in einem Zelt, sondern verbrachte ihre letzten Jahre in einem warmen kleinen Haus. Mit einem Blei- oder Filzstift in der Hand lag Kenojuak auf einer Matratze auf dem Boden und zeichnete, was ihr in den Sinn kam. Das Land, die Geister der Vögel und Tiere, die in ihrer Seele sangen und ihre Hand führten. Sie war mit alledem tief verbunden. Denn ihr Geist war, wie sie sagte, eine tanzende, glückliche Eule.

BARBARA HEPWORTH

ICH, DIE BILDHAUERIN,
BIN DIE LANDSCHAFT.
ICH BIN DIE FORM UND DER HOHLRAUM,
DAS AUSTREIBEN UND DIE KONTUR.

EIN SCHÖNER GEDANKE

Über ihr thronte ein roher eckiger Marmorblock. Das sanfte Morgenlicht strich über seine Oberflächen. Als sie hinaufsah, kam es ihr vor, als würde der riesige Stein lebendig. Barbara kletterte auf das Gerüst, ging langsam um den Block herum und legte die Hand auf den Marmor. Dann ergriff sie den großen Meißel mit der kurzen flachen Klinge, ließ sein Gewicht auf sich wirken und nahm schließlich den Hammer. Als der Hammer auf den Meißel traf, begannen Metall und Stein zu singen, Schlag um Schlag.

Sie hatte gerade erst mit ihrer Arbeit am Marmor begonnen und es würde noch Monate dauern, bis die Skulptur fertig war. Mit präzisen Schlägen bearbeitete sie den Stein, schliff mit nicht nachlassender Kraft die raue Oberfläche, dann glättete und polierte sie den Marmor, sodass aus grobem Stein ein zartes Kunstwerk entstand. Viele hatten zu ihr gesagt, sie sei nicht stark genug, um Bildhauerin zu werden, Frauen könnten keinen Stein behauen. Sie strafte sie alle Lügen.

Barbaras früheste Erinnerungen waren Formen, Gestalten und Strukturen. Sie wuchs in Wakefield im Norden von England auf, einer Hochburg des Kohlebergbaus. Ihr Vater war Landvermesser für die Grafschaft Yorkshire und musste durch das ganze County reisen. Wann immer sie durfte, fuhr sie mit. Im Auto sitzend betrachtete sie die Landschaft, die sich vor ihren Augen entfaltete. Sah, wie die welligen Hügel und Täler ineinanderflossen. Wie die Straßen sich daran anschmiegten. Ein Bild der Harmonie. Barbara stellte sich vor, die Landschaft in ihren Händen zu halten, und fragte sich, wie sich das anfühlen mochte.

Als sie 1920 auf die Kunstakademie in Leeds ging, beschloss sie, diese Erinnerung in Stein zu meißeln. Die anderen Studenten hielten sich lieber an die althergebrachte Vorgehensweise, sie modellierten in Ton und bezahlten Steinmetze dafür, dass sie die Skulpturen herstellten. Barbara wollte es anders machen. Sie liebte den Rhythmus des Meißelns. Er war für sie wie ein zweiter Herzschlag, ein zweiter Puls. «Wer in Yorkshire geboren ist», sagte sie stolz, «hat keine Angst vor harter Arbeit.»

Nur ein anderer Student teilte ihre Faszination für die direkte Bearbeitung des Steins – ihr Freund Henry Moore.

Biolith, 1948/49

Beide wollten sie dessen Geheimnisse ergründen, wollten herausfinden, wie sie seine innere Magie freisetzen konnten. Barbara und Henry entwickelten eine bildhauerische Form, wie man sie noch nie zuvor gesehen hatte. Sie schufen fließende, geschmeidige Figuren, die aussahen, als kämen sie direkt aus der Landschaft Yorkshires. Nach ihrem Abschluss war Barbaras Wissensdurst indes längst nicht gestillt. Sie zog nach Italien und ging bei dem Marmorsteinmetz Giovanni Ardini in die Lehre, lernte die großen italienischen Bildhauer der Renaissance kennen und begann Skulpturen anzufertigen, die sie selbst überragten.

Als 1939 der Zweite Weltkrieg ausbrach, zog Barbara zusammen mit ihrem zweiten Mann, dem Maler Ben Nicholson, in das hübsche Örtchen St. Ives an der Küste von Cornwall. Sie luden viele innovative Künstler ein, etwa den russischen Bildhauer Naum Gabo. Mit anderen modernen Künstlern wie dem Töpfer Bernard Leach oder der abstrakten Künstlerin Wilhelmina Barns-Graham war St. Ives bald eine Hochburg der Kreativität. Für sie alle war das ein großes Abenteuer, ebenso aufregend wie für einen Forscher oder Philosophen eine bahnbrechende Entdeckung oder Erkenntnis. Sie betraten eine neue Welt mit völlig neuen Ausdrucksformen: Sie entdeckten die abstrakte Kunst.

Hinter ihrem Garten lag der pittoreske Hafen von St. Ives, dahinter das offene Meer. An der Landspitze im Westen war die Küste wild und zerklüftet. Im Binnenland stiegen Moore auf, aus denen der blanke Granit und die prähistorischen Menhire ragten. Von alledem fühlte sich Barbara angeregt, die Beziehung zwischen den menschengemachten Formen und der sie umgebenden Natur in ihren Kunstwerken zu thematisieren. Ihre abstrakten Formen waren ein Widerhall der gewellten Hügel, des strömenden Wassers, der anschwellenden Wolken, des rhythmischen Wellenschlags. Ihre Werke ließen an all diese Dinge denken, ohne sie einfach nur zu kopieren.

Zum ersten Mal schlug Barbara 1932 ein Loch in eine ihrer Skulpturen. Plötzlich konnte sie die Landschaft dahinter sehen. Die Skulptur hatte sich geöffnet und zeigte die Welt rundum aus einer völlig neuen Perspektive. Die Landschaft wurde Teil der Kunst und die Kunst Teil der Landschaft. Es kam Barbara vor, als habe sie eine neue Sprache entdeckt.

Immer intensiver setzte sie sich mit der Beziehung zwischen dem Innen und Außen der Dinge auseinander. Sie wollte ihre Skulpturen so auf den Hügeln platzieren, dass man durch sie hindurch aufs Meer sehen konnte. Sie wollte Formen erschaffen, die den Betrachter einladen, sich in die Skulptur hineinzulegen oder durch sie hindurchzuklettern. Nun begann sie auch Holzschnitzereien anzufertigen, in die sie feine Fäden spann. Diese Werke glichen bezaubernd schönen Musikinstrumenten, auf denen man am liebsten gleich gespielt hätte.

In den 1950er Jahren stieg allmählich Barbaras Bekanntheitsgrad, bis sie schließlich zu den bedeutendsten Bildhauern der modernen Kunst zählte. 1965 wurde ihr der Titel Dame of Great Britain verliehen. Inzwischen waren ihre Werke auf der ganzen Welt zu sehen. Manche waren so klein, dass man sie mit der Hand umfassen konnte, andere so groß wie ein Doppeldeckerbus. Alle aber besaßen sie eine besondere Intimität. «Wenn ich in der freien Natur bin, fühle ich mich beschützt, sicher, umarmt», sagte sie. «Ich möchte, dass die Menschen, wenn sie meine Skulpturen sehen und berühren, genau dasselbe fühlen.»

Nachthimmel (Porthmeor), 1964

HANNAH HÖCH

BIS HEUTE VERSUCHE ICH KONSEQUENT

DAS FOTO AUSZUBEUTEN.

ICH BENUTZE ES WIE DIE FARBE,

ODER WIE DER DICHTER DAS WORT.

HANNAH HÖCH

MUT ZUM SCHNEID

Die Apfelbäume blühten. Sie öffnete das Fenster und atmete den Duft ein. Ein paar Zweige drückten sich gegen die Mauer ihres Landhauses in die Höhe. Im Herbst hingen sie so voll mit Äpfeln, dass sie sich zum Boden neigten. Die Bäume waren ihre Wächter, ihr Schutzwall. Es gefiel ihr, wie sich Besucher unter den dichten Ästen hindurchwinden mussten, um zur Haustür zu gelangen. Und hier in diesem Unterschlupf konnte sie, ohne Angst haben zu müssen, die Kunst schaffen, die ihr vorschwebte.

Ursprünglich war sie hergezogen, weil sie ein sicheres Versteck brauchte. Ihre Kunst war anders, radikal. Sie verstörte und erzürnte einige Menschen. Je mehr Macht die Nationalsozialisten in Deutschland bekamen, umso gefährlicher wurde es für Künstler wie Hannah Höch, sich künstlerisch auszudrücken. Ihr drohte die Festnahme oder sogar Schlimmeres. Die meisten ihrer Künstlerfreunde flohen aus dem Land. Sie aber beschloss zu bleiben. Sie kaufte sich dieses kleine Landhaus am Rande von Berlin, wo sie ihre Bilder versteckte und hoffte, dass ihre Nachbarn sie nicht erkannten und verrieten. Aber Hannahs innovative Kunst hat bis heute überlebt.

**Schnitt mit dem Küchenmesser Dada durch die letzte Weimarer
Bierbauch-Kulturepoche Deutschlands**, 1919

Vor dem Zweiten Weltkrieg war Hannah das erste und einzige weibliche
Mitglied einer wilden, experimentellen Künstlergruppe, der Dadaisten.
Dada war als Protestbewegung von Künstlern, Dichtern und
Theatermachern entstanden. Die Kunst, die Hannah und ihre Freunde
machten, war nicht dazu gedacht, als Dekoration an der Wand zu
hängen. Sie sollte provozieren. Die Menschen sollten über ihre Kunst
sprechen, sollten geschockt sein, wütend sein und ihre Meinung über
das ändern, was als normal galt. Dada war *dagegen*, war anti: gegen
Krieg, gegen Politik, gegen Kunst. Ja, Dada war Anti-Kunst.

Die Dadaisten schufen Werke, die chaotisch und unlogisch, ungewöhnlich und verwirrend waren. Sie feierten den Unsinn und stellten ihre Kunst mit Alltagsmaterialien her. Einige Mitglieder drehten Kurzfilme, in denen Darsteller in bizarren Kostümen auftraten und unverständlich sprachen; andere schrieben Gedichte, indem sie Wörter nach dem Zufallsprinzip aneinanderreihten. Hannah hatte ihre eigenen Ideen und war der Ansicht, Kunst müsse etwas zu sagen haben. Kunst konnte wirkungsvoll und bedeutsam sein, intelligent und humorvoll. Und sie konnte zeigen, dass Frauen nicht nur am Herd etwas taugten, sondern auch als Künstlerinnen, im Arbeitsleben und in allen anderen Dingen.

Hannah wurde von ihrem Freund, dem Künstler Raoul Hausmann, in die Gruppe der Dadaisten eingeführt. Bei einem gemeinsamen Urlaub sah Hannah 1918 Fotos deutscher Soldaten, die diese ihren Familien geschickt hatten. Sie hatten ihre Gesichter auf die Körper von Musketieren geklebt. Da begriff Hannah, dass man Bildern neue Bedeutung geben kann, wenn man sie auseinanderschneidet und neu zusammensetzt. Weil es ihr als Frau nicht erlaubt war, Kunst zu studieren, erlernte sie stattdessen Glasgestaltung. Ihren Lebensunterhalt verdiente sie sich bei einer Frauenzeitschrift mit Artikeln sowie mit Mustern für Mode und Stickereien. Ein Muster zu entwerfen und eine Collage zu erstellen war vom Prinzip her ähnlich – ausgehend von einer Grundidee, zerlegte Hannah die Vorlage und setzte die Einzelteile wieder neu zusammen.

Sie fing an, Fotografien aus Zeitungen und Zeitschriften auszuschneiden und miteinander zu kombinieren, um daraus surreale, faszinierende Kunstwerke zu erschaffen. Diese Vorgehensweise nannte man bald «Fotomontage».

Mithilfe dieser Technik stellte Hannah in Frage, was normal war. Sie konnte sie benutzen, um sich über die Herrscher und Politiker lustig zu machen und zu zeigen, wie lächerlich der Krieg war. Oder um die Stellung der Frauen in der Gesellschaft in Frage zu stellen. Oder «den Weltenunsinn» zu kritisieren oder wichtige Fragen zu stellen wie «Welchen Platz hat die Frau in der modernen Welt?» oder «Was ist Schönheit?».

Hannah war genauso innovativ wie die anderen Dadaisten, wurde aber als einzige Frau nicht sofort akzeptiert. Einige Mitglieder versuchten, ihre Teilnahme an der ersten gemeinsamen Ausstellung zu verhindern. Erst als Raoul drohte, seine Arbeiten zurückzuziehen, lenkten sie ein. Es war aufregend, Teil der Dada-Bewegung zu sein, aber sie war auch voller stolzer Männer. So brillant oder revolutionär Hannahs Arbeiten und Ideen auch sein mochten, viele ihrer Kollegen sahen in ihr nur eine begabte Amateurin, die sie mit belegten Broten, Bier und Kaffee versorgte, obwohl sie genauso arm war wie alle anderen.

Doch Hannahs Kunst war weit einflussreicher, als es die anderen Dadaisten damals geglaubt hatten. Nachdem sich die Bewegung 1922 auflöste, fuhr sie mit ihren radikalen Experimenten in der Fotomontage fort. Ihre im Stillen, hinter den Apfelbäumen in ihrem Landhaus entstandenen Werke kamen an die Öffentlichkeit, sobald es nicht mehr gefährlich war, sie zu zeigen. Hannah wollte nie Künstlerin werden, um berühmt zu sein. Sie wollte das Denken der Menschen verändern. Und genau das ist ihr gelungen. Obwohl ihr zu Lebzeiten die Anerkennung versagt blieb, ebnete sie mit ihren Werken den Weg für neue Ideen und inspirierte nachfolgende Künstlergenerationen.

TOVE JANSSON

WIE KANN JEMAND MUTIG SEIN,
DER KEINE ANGST HAT?

LEBENDIGE KUNST

Das Meer war schwarz wie ein Hexenkessel. Donner wie dröhnende Kanonen. Sie hatten ihr kleines Boot an Land gezogen und mit Steinen beschwert. Fast hätten sie es an den Sturm verloren. Peitschend blähte sich das Zelt auf. Sie konnten sich bei dem ohrenbetäubenden Lärm kaum unterhalten. Stießen mit ihren Tassen an und lachten. Der Sturm tobte seit fünf Tagen. Als Tove später daran zurückdachte, war dies in ihrer Erinnerung die glücklichste Zeit ihres Lebens.

Kein Wunder, dass Tove so abenteuerlustig war und so viel Phantasie besaß, bei der Familie! Unkonventionell und kreativ ging es dort zu. Ihr Vater Viktor war Bildhauer und Sturmliebhaber, ihre Mutter Signe Hammarsten-Jansson eine bekannte Grafikerin, die gern ritt und mit dem Gewehr schoss. Alle nannten sie nur «Ham». Ihre Eltern ermutigten Tove, nur das zu tun, was sie gern tat, und keine Angst zu haben, der Mensch zu werden, der sie sein wollte.

Die meiste Zeit des Jahres verbrachte die Familie in einem maroden Atelier in der finnischen Hauptstadt Helsinki, das bis an die Decke mit eigenen Kunstwerken vollgestopft war. Es roch nach nassem Gips und feuchter Modelliermasse, duftenden Blumen und selbstgekochtem Essen. Alle bei den Janssons malten, schnitzten, musizierten oder erzählten Geschichten, oft feierten sie tagelange Feste. Sie zu besuchen war ein unvergessliches Erlebnis. Man lernte die außergewöhnlichsten Charaktere kennen, ein Kindermädchen, das philosophische Bücher las, einen Musiker, der Gläser zerbrach, wenn er aufgeregt war. Nicht zu vergessen den Affen Poppolino, der Samtjacken und Pullis mit Schottenmuster trug und am liebsten Radio hörte.

Der Sommer aber gehörte den Inseln. Seit Generationen kamen die Janssons auf die finnische Inselgruppe Pellinki. Selbst hier schuf Viktor noch seine lebensgroßen, bisweilen mythischen Figuren oder Porträts, während Ham mit feinem Strich zeichnete. Erst wenn die Tinte auf ihren Zeichnungen getrocknet und die Bilder per Heringsboot auf dem Weg zu ihrem Verleger waren, gesellte sie sich zu den anderen zum

Abstrakte See, 1963

Schwimmen. So streiften die Kinder allein umher und entdeckten mit Tove als Anführerin in den kleinsten Dingen Abenteuerliches: In einer Pfütze auf dem Fels steckte eine ganze Welt, im Strandgut bargen sie Schätze. Immer erfand Tove etwas Neues – sie umrahmte Blumenbeete mit perlweißen Muscheln oder arrangierte Waldpilze zu farbenfrohen Sträußen. Hier malte sie auch ihren ersten Mumin: ein lustiges, etwas pummeliges kleines Tier mit großer Schnauze. Es sah ein wenig aus wie ein Nilpferd aus dem Märchen. Sie kritzelte es auf die Außenwand der Toilette, um die anderen zum Lachen zu bringen. Damals hätte niemand gedacht, dass diese kleine Figur sie einmal weltberühmt machen würde.

Tove malte schon, bevor sie laufen konnte, sagten ihre Eltern gern. Bereits als Kleinkind saß sie stundenlang neben ihrer Mutter und sah ihr beim Zeichnen zu, bis sie schließlich selbst zu malen begann. Als Jugendliche erschienen ihre ersten Zeichnungen in einer Zeitschrift, und mit neunzehn wurde ihr erstes Bilderbuch veröffentlicht. Sie studierte Kunst, erst in Schweden, dann in Helsinki und Paris. Sie liebte die lebhaften Kunstwerke von Malern wie Matisse. Mit energischem Pinselstrich und starken Linien malte Tove moderne Selbstporträts und vor Licht leuchtende Landschaften. Doch bald sollte sich das Leben für alle grundlegend ändern.

1939, sie war gerade nach Finnland zurückgekehrt, brach der Zweite Weltkrieg aus. Als feindliche Truppen ins Land eindrangen, wurde einer ihrer jüngeren Brüder an die Front geschickt. Die ganze Familie war starr vor Angst, weil keiner wusste, wo Per-Olov war und wann er zurückkommen würde. Tove goss ihre Furcht und ihren Frust in ihre Arbeiten. Neben ihren Gemälden schuf sie für die Zeitschrift *Garm*, für die sie seit ihrem fünfzehnten Lebensjahr arbeitete, provokante Karikaturen von Hitler und Stalin. Doch mit dem Feind im eigenen Land war es riskant, auf diese Weise ihre Meinung zu sagen. Und so dachte sie sich eine wunderliche Parallelwelt aus, in der eine friedliche Familie – die Mumins – ihre Heimat verlassen muss, als eine große Flut ihr schönes Tal zu überschwemmen droht.

Die Charaktere in Toves Büchern waren leicht wiederzuerkennen. Muminpapa war wie Viktor: immer nach Abenteuern aus. Muminmama war natürlich Ham: durch nichts aus der Fassung zu bringen und die liebevollste Mutter der Welt. Mumin selbst war ein bisschen wie Tove. Und die Kleine My, die so selbstbewusst wie ungestüm war? Sie konnte all die schlimmen Wahrheiten aussprechen, die Tove im echten Leben vielleicht gern gesagt hätte, es sich aber nicht traute. Und im Mumintal waren die schönsten Landschaften ihrer wunderbaren Inseln vereint.

Neben ihren Geschichten malte Tove auch weiterhin. Sie schuf wunderschöne riesige Wandgemälde für die Stadt Helsinki, darunter auch Altarbilder, und ihre Werke wurden vielfach ausgestellt. 1952, als sie schon zwei Bücher veröffentlicht hatte, fragte die *London Evening News*, ob sie aus ihren Geschichten einen Comic machen wolle. Da Tove als Künstlerin kaum ihren Lebensunterhalt bestreiten konnte und ihre Bilder schon gegen Heizmaterial getauscht hatte, nahm sie das Angebot natürlich an. Schon bald erschienen ihre Comics in Zeitungen auf der ganzen Welt. Die Mumins wurden ein Riesenerfolg. Man sagte

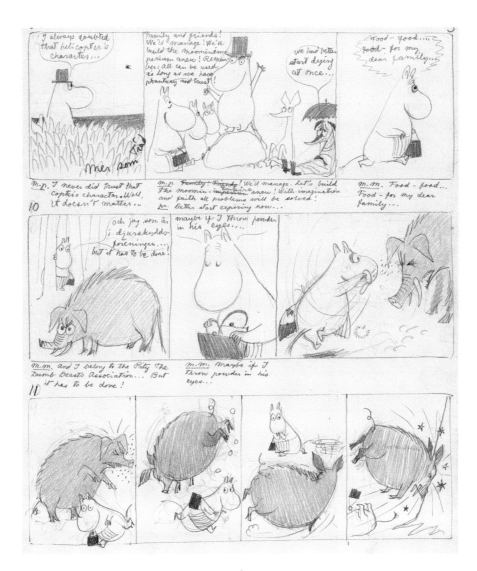

Skizze für das Buch «Mumins einsame Insel», 1953–1959

ihr, sie habe zwölf Millionen Leser! Doch der Erfolg hatte auch seine
Schattenseiten. Tagein, tagaus erfand Tove nun neue Geschichten und
beantwortete persönlich jeden einzelnen Fanbrief, Tausende im Jahr.

Als sie Tuulikki Pietilä kennenlernte, die ebenfalls Künstlerin war, war sie gerade sehr unglücklich. Sie fühlte sich in ihrer selbstgeschaffenen Phantasiewelt gefangen und hatte keine Zeit mehr, die Bilder zu malen, die sie gern malen wollte, oder sich auf den Inseln oder in der Natur zu vergnügen. Im Finnland der 1950er Jahre war es illegal, wenn eine Frau eine andere Frau liebte. Doch hier draußen auf den Inseln gab es niemanden, der ihnen sagte, was sie nicht tun durften: Sie konnten leben und lieben, wie sie es wollten. Sie bauten sich aus Treibholz eine Hütte – die vom Meer davongespült wurde. Unverzagt bauten sie auf der Insel Klovharu eine zweite, stabilere Hütte. Es gab kein fließend Wasser und keinen Strom, aber sie verbrachten dort fast dreißig Jahre lang jeden Sommer.

Heute weilt Tove nicht mehr unter uns, wird aber immer noch von ganz Finnland und vielen Menschen rund um die Welt geliebt und gefeiert. Ihre Lebensweisheit berührt uns auch heute: mutig sein, Freude aneinander haben, lieben, wen man will, tanzen, Blumen im Haar tragen und in Frieden miteinander leben.

FRIDA
KAHLO

ICH HABE NIE TRÄUME GEMALT,
SONDERN IMMER NUR
MEINE EIGENE WIRKLICHKEIT.

PORTRÄT DER WIRKLICHKEIT

Die Lichter gingen aus. Im Publikum kehrte Stille ein. Als sich der Vorhang hob, setzten die Geigen, Flöten und Oboen ein. Die Eröffnungsmelodie der Oper erfüllte den Saal. Doch dann, plötzlich, ein lautes Geräusch, das Orchester brach ab. Alle Blicke wandten sich hinauf zum Balkon, wo eine unverkennbare Figur ihren Auftritt hatte. In ihren geflochtenen Haaren steckten frische Blumen. Ihre Augen glitzerten hell wie der Schmuck, den sie trug. Sie sah majestätisch aus, wie eine Kaiserin. Die Zuschauer hielten den Atem an. Sie nahm Platz, und das Orchester setzte wieder ein. An diesem Abend konnte man zwei Spektakel erleben, die Oper auf der Bühne und das lebende Meisterwerk hoch oben auf dem Balkon: Frida Kahlo.

Fridas Haus, La Casa Azul, war außen und innen blau. Hier wohnten Affen, Papageien und sogar ein kleines Reh, und alle Pflanzen durften wachsen, wie sie wollten. Der Garten barst vor Farben. An den Wänden hingen mexikanische Volkskunst und Retablos – kleine religiöse

Selbstbildnis auf der Grenze zwischen Mexiko und den USA, 1932

Gemälde, die man dort aus Kirchen kennt, Szenen, in denen Menschen durch ein Wunder geheilt werden. Hätte nur auch Frida durch ein Wunder geheilt werden können!

Ihre Probleme begannen, als sie sechs Jahre alt war. Sie erkrankte an Kinderlähmung und musste neun Monate das Bett hüten. Ein Bein blieb dauerhaft geschädigt und war dünn wie ein Strohhalm. Als Frida

Selbstbildnis mit Affen, 1938

wieder aufstehen konnte, ermutigte ihr Vater sie zu Sportarten wie Ringkampf und Fußball, um wieder zu Kräften zu kommen. Sie freute sich, dass sie wieder stärker wurde und bald sogar den Jungs ebenbürtig war. Sie begann Anzüge und Krawatten zu tragen. Die Leute fanden es seltsam, dass sie sich wie ein Mann kleidete, aber Frida machte sich nie Gedanken darüber, was andere dachten.

Frida gehörte zu den wenigen Mädchen, die auf die beste Schule in ganz Mexiko gehen durften, die Preparatoria. Ihre Clique bestand fast nur aus Jungs, die intelligent waren und es faustdick hinter den Ohren hatten. Einmal nahmen sie einen Esel mit ins Klassenzimmer, weil sie ihren Lehrer langweilig fanden. Ein harmloser Streich. Aber wie Frida lachte! Als Schülerin wollte sie immer Ärztin werden. Ihre Studien in Medizin und Botanik sollten später Eingang in ihre Bilder finden, in die detailreichen Darstellungen der Flora und Fauna, die sie so innig liebte.

Als der Unfall geschah, war sie achtzehn. Sie war gerade in den Schulbus gestiegen, als er von einer Straßenbahn gerammt wurde. Die Leute sagten später, die Bahn sei einfach weitergefahren, langsam, unnachgiebig, wie eine Walze. Der Bus wurde regelrecht zusammengefaltet. Viele Menschen starben. Frida wurde von einer Eisenstange durchbohrt und brach sich fast alle Knochen. Ein Fahrgast hatte ein Paket mit Blattgold bei sich, mit dem das neue Nationaltheater dekoriert werden sollte. Das Paket brach bei dem Aufprall auseinander und überschüttete Frida mit Gold. Wie sie so auf der Straße lag, dachten alle, sie sei tot. Solche Verletzungen könne niemand überleben.

Nach dem Unfall konnte sich Frida ein Jahr lang nicht bewegen. Ihre Mutter hängte ihr einen Spiegel über den Kopf, ihr Vater, der Fotograf war, lieh ihr seine

alte Ausrüstung und baute ihr eine Staffelei für ihr Bett. Sie begann zu malen – ein Ausweg, um der Langeweile zu entkommen. Bald wurden Selbstporträts ihre große Leidenschaft. Sie lenkten sie von den Schmerzen ab. Frida malte die Dinge, wie sie sie sah, und ihre Bilder wurden immer gewagter, immer intensiver. Oft malte sie ihre Lieblingstiere. Für sie war es wie eine Wiederauferstehung, da die alte Frida, die sie einmal gewesen war, nicht mehr existierte. Aber sie lebte, und sie wollte weiterleben. Es glich einem Wunder. Sie war wie der Phönix, der aus der eigenen Asche aufersteht.

Als sie wieder Kraft hatte, ging sie mit einigen ihrer Bilder zu ihrem Freund Diego Rivera. Er war ein berühmter mexikanischer Maler, der viele Jahre in Paris gelebt hatte und mit anderen Künstlern wie Pablo Picasso befreundet war. Diego fand die Bilder – wie auch die Frau, die sie ihm brachte – außergewöhnlich.

Nach zehn Jahren Krieg und Revolution gab es in Mexiko damals einen neuen Schwung an Kreativität, moderne Kunst, Filme, Philosophie. Begabte Künstler wie Diego schufen eine neue nationale Identität, der auch Frida angehören wollte. Sie war ein revolutionärer Geist und hatte keine Angst, die sie umgebende Welt in Frage zu stellen. Doch während sich Diego in seinen Kunstwerken mit großen politischen Themen befasste und großformatige Gemälde malte, waren Fridas Bilder klein, detailreich und persönlich.

Frida und Diego heirateten. Und trotz ihrer turbulenten Beziehung unterstützten sie sich immer gegenseitig in ihrer Kunst. Im Herbst 1930 zogen sie nach Amerika, wo beide inzwischen berühmt waren. Frida war mit großartigen Künstlern, politischen Exilanten und Philosophen befreundet. Sie stellte in New York und Paris aus und gehörte zu den meistfotografierten Menschen ihrer Zeit. Manche meinten, ihre Werke ähnelten der Kunst der Surrealisten, in deren bizarren Bildern sich Realität und Phantasie vermischten. Frida dagegen malte ihre eigene Wirklichkeit. Sie scheute sich nie vor persönlichen Themen und zeigte in ihren Bildern ihren eigenen Schmerz.

Ihr Leben lang musste sich Frida Operationen unterziehen, und sie wurde von Tag zu Tag schwächer. Ihr Rücken war so gebrechlich, dass sie ein Korsett aus Metall und Leder oder einen Gipsverband um den Oberkörper tragen musste. Aber sie ließ sich nicht unterkriegen, sondern machte ihre Verbände kurzerhand zu ihrer Leinwand. Sie kämpfte gegen die Vorstellung, wer einen zerbrechlichen Körper habe, müsse auch einen schwachen Geist haben. Die Blumen in ihrem Haar, der Schmuck, die farbenfrohen traditionellen Kleider Mexikos, die über den Boden fegten, all das verbarg ihren versehrten Körper. Und während sie der Oper lauschte und nach unten sah – trotz aller traumatischen Erlebnisse mit einem Lächeln im Gesicht –, war sie ein wunderbares lebendes Beispiel für die Kraft des menschlichen Geistes.

CORITA KENT

WIR SIND NICHT ALLE MALER,

ABER WIR ALLE SIND KÜNSTLER.

IMMER WENN WIR DINGE ZUSAMMENFÜGEN,

TUN WIR ETWAS KREATIVES.

Love *Love*

Art does not come from thinking, but responding ...

I am trying to make hope

flowers grow out of

the darkness

Consider everything an experiment ...

Be big yourself

creativity belongs to the artist in each of us. To create means to relate.

The root m of the

aa is to 'let go' and we all do this every day ...

... every day

POP ART MIT HERZ

Der Parkplatz in Hollywood war voll und staubig. Die Hitze stieg vom Asphalt auf. Autos und Laster fuhren vorbei, Bremsen quietschten, Hupen dröhnten. Aus den offenen Fenstern schallte Musik, während die Ampel auf Rot sprang. Mitten in dem Getöse stand die rebellische Nonne in ihren schwarz-weißen Gewändern. Sie blickte zu den bunten Schildern auf, die den Himmel ausfüllten und nach Aufmerksamkeit heischten. In einer Hand hielt sie einen kleinen Bildsucher – einen Karton mit einem ausgeschnittenen Rechteck in der Mitte –, in der anderen ihre Kamera. Sie schaute und inspizierte, dann ließ sie den Verschluss der Blende klicken, wieder und wieder. Stundenlang stand sie so da.

Künstler finden Inspirationen an allen möglichen Orten. Die mit Werbung und Schildern überfüllte urbane Landschaft vor den Toren der Stadt mochte vielen hässlich erscheinen, für Schwester Corita Kent aber war sie aufregend und stimulierend.

Einbahnstraße, 1967

Mit 18 Jahren wurde Corita Kent Nonne. Sie war als Frances Elizabeth Kent in eine große irisch-katholische Familie in Iowa hineingeboren worden, für die Religion eine sehr wichtige Rolle spielte. Nach ihrem Schulabschluss trat sie 1936 der Immaculate Heart of Mary Religious Community in Los Angeles bei und wählte einen neuen Namen – Sister Mary Corita. Fortan nannten sie alle nur noch Sister Corita.

Nonne zu werden war damals ein großer Schritt. In den 1930er Jahren musste man dafür seinen Geburtsnamen, seine Unabhängigkeit und Gedankenfreiheit, sein Liebesleben und seine Individualität aufgeben. Nonnen trugen traditionelle steife Trachten, die sogenannten Habits, die nur Gesicht und Hände zeigten. Sie mussten der Kirche und ihren Würdenträgern vollkommenen Gehorsam geloben.

Aber die Nonnen der Immaculate Heart of Mary Religious Community, die auch ein Kollege führten, waren jung und voller Energie. Sie hatten keine Angst, Neues auszuprobieren. In den 1950er Jahren wurde das College für sein fortschrittliches Denken bekannt. Als das Oberhaupt der katholischen Kirche, Papst Johannes XXIII., 1962 ein Konzil einberief, um eine Modernisierung der Kirche zu veranlassen, sahen Corita und die anderen Schwestern die Gelegenheit gekommen, sich endlich Gehör zu verschaffen. Im selben Jahr besuchte Corita eine Ausstellung des berühmten Pop Art-Künstlers Andy Warhol. Sie hatte am College als Kunstlehrerin gearbeitet und einige Zeit mit Serigrafie experimentiert, auch Siebdruck genannt, aber Warhols Bilder von Suppendosen stellten ihr Verständnis von Kunst völlig auf den Kopf. «Als ich heimkam», sagte sie später, «habe ich alles mit den Augen von Andy Warhol gesehen». Sie ging ins Atelier des College, krempelte die Ärmel hoch und begann mit einer neuen Reihe von Kunstwerken, die aus einer gewöhnlichen Kunstlehrerin an einer Klosterschule eine berühmte Künstlerin machten.

Coritas Drucke waren gewagt und voll starker, gegensätzlicher Farben. Sie verwendete Werbeslogans, Songtexte und die Alltagssprache der Stadt, dazu Geschichten aus der Bibel und Zitate aus Büchern, um lebhafte Kunstwerke zu erschaffen, die sich gegen Armut, Krieg, Rassismus und Ungerechtigkeit aussprachen. Sie war mindestens ebenso sehr Aktivistin wie Künstlerin; ihre Kunstwerke waren Aussagen darüber, wie wir leben und miteinander umgehen sollten. Pop Art mit Herz. «Ich hoffe, dass meine Kunst die Menschen erhebt», sagte sie, «damit sie mehr Spaß im Leben haben.»

Corita nannte sich bescheiden Lehrerin und Grafikerin, aber sie war viel mehr als das. Sie schuf öffentliche Kunstwerke wie etwa das Wandgemälde für den vatikanischen Pavillon auf der Weltausstellung 1964/65 in New York, was eine große Ehre war, und organisierte sogenannte Happenings, bei denen Menschen zusammenkamen, um friedlich zu protestieren und gemeinsam kreativ zu sein. Sie sorgte dafür, dass ihre Kunst leicht

E Auge Liebe, 1968

zugänglich war, indem sie sie als Drucke, Poster und Grußkarten in Kirchen, Gemeindezentren und auf Messen ebenso wie in Galerien oder Firmen verkaufen ließ.

Aber nicht allen gefiel ihre Kunst. Einige Kirchenobere meinten, ihre Kunst sei gefährlich. Sie verstanden sie nicht – sie war zu modern, zu schlau, zu forsch. Die Geistlichen sorgten sich, dass Corita der Ruhm zu Kopf steigen könnte. Nonnen sollten ihrer Meinung nach in stiller Demut leben. Deshalb sagten sie Corita, sie müsse mit ihrer sensationsheischenden Kunst aufhören oder den Orden verlassen. Corita lachte nur über die Kritik und machte unbeirrt weiter. Doch irgendwann wurden die Anforderungen an sie zu groß: Unterrichten, Reden halten, prominent sein – das alles wurde ihr einfach zu viel. Daher nahm sie sich eine Auszeit. Und obwohl sie fast ihr gesamtes Erwachsenenleben in der Immaculate Heart Community verbracht hatte, beschloss sie, nicht mehr dorthin zurückzukehren und nur noch Kunst zu machen.

Corita erlangte nie den Superstarstatus wie einige ihrer männlichen Pop-Art-Kollegen, aber sie war trotzdem eine einflussreiche Künstlerin. Als Ikone der «modernen Nonne» sah man sie auf dem Titel einiger Zeitschriften, und als die U.S. Postal Authority 1985 die Briefmarke Love mit einem ihrer Motive herausbrachte, wurden davon 700 Millionen Stück verkauft. Für Corita war es allerdings immer das Wichtigste, sich den Spaß an der Sache zu bewahren, ganz gleich was die anderen dachten. Gern sagte sie zu ihren Schülerinnen: «Macht euch nicht kleiner, als ihr seid. Seid GROSS!»

EMILY
KAME
KNGWARREYE

VIEL, SEHR VIEL – ICH MALE

SEHR SEHR VIEL.

EMILY KAME KNGWARREYE

TRAUMZEIT

Emily saß an ihrem Lieblingsplatz, die Farbtöpfe rundum aufgereiht. Während sie vor sich hinsummte, strich sie mit ihrem stummeligen Pinsel über die riesige Leinwand, die sie auf der roten Erde ausgebreitet hatte. Die Farben flossen ineinander, vermehrten sich, glichen stellenweise Zweigen oder Wurzeln. Ihre Bilder erzählen alles, hat sie einmal gesagt. Damit meinte sie, dass die Bilder von ihrem Leben und von ihrem Land erzählen.

Der Boden in der Wüste im Nordwesten Australiens war trocken und rissig. Manchmal gab es jahrelang keinen Regen. Eine unwirtliche Gegend, aber die Anmatyerre hatten gelernt, in ihr zu überleben. Sie waren hier seit Hunderten von Generationen. Sie wussten, wie man Pflanzen züchtet und wie man die im Boden versteckten köstlichen Yamswurzeln findet. All das lernten sie durch die Traumzeit – Geschichten ihrer Ahnen. Hier war Emily zu Hause.

Emily wusste nicht, in welchem Jahr sie geboren war. Doch derlei Kleinigkeiten interessierten sie auch nicht. Jahre später wurde Emily selbst zur Stammesältesten und damit zur Bewahrerin dieser Geschichten.

Schon vor langer Zeit hatte sie sich beibringen lassen, wie man die feierlichen Sandbilder anfertigt, auf denen die «Traumzeit» dargestellt wird. Und für eine Zeremonie der Frauen, die Awelye, durfte sie auf deren Körper die Muster aufmalen. Ihr erstes Bild schuf sie jedoch erst mit fast achtzig Jahren! Etwas spät, könnte man meinen, aber sie selbst sagte, die Bilder seien gekommen, als sie kommen sollten. Anfangs machte Emily Batiken – dabei wird heißes Wachs auf ein Gewebe aufgetragen, das man anschließend einfärbt. Aber Emily mochte den Geruch der Wachsdämpfe nicht und freute sich, als ihre Gemeinde Farben und Leinwände bekam.

.

Große Yamswurzeln, 1996

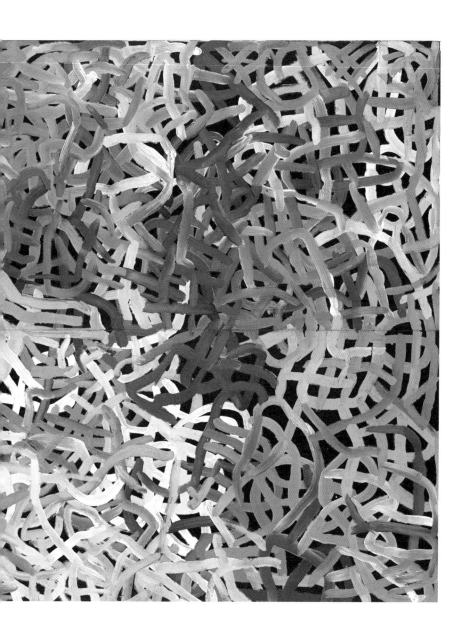

Für die Aborigines erklärt die Traumzeit, wie die Geister das Land und alles, was sich darin befindet, erschaffen haben. Wenn Emily die Traumzeit malte, sah es manchmal so aus, als enthielten ihre Bilder das gesamte Universum: von den Sternen bis zu den winzigen Zellen in unserem Körper, die für uns selbst unsichtbar sind.

Die Geister der Traumzeit schufen die Samen, die Pflanzen und die Erde. Sie schenkten Emilys Vorfahren das Leben und schufen auch den großen Sandhügel uturupa, nach dem diese Gegend in der australischen Wüste benannt ist: Utopia. Das Wort Utopia bedeutet «ein Ort, an dem alles perfekt ist».

Emilys Bilder wirken, als wären sie durch sie hindurchgeflossen. Ihr ganzes Leben, alles, was sie liebte, alles Alte und alle Weisheit sind aus ihr herausgesprudelt und haben sich auf die Leinwand gelegt. Strich um

Strich trug Emily auf, bis die ganze Leinwand aus dicken Farbschichten bestand. Wenn man ihre Bilder lange betrachtet, meint man, in sie hineinzufallen.

Emily hatte eine unbändige Energie, obwohl sie schon zu den Ältesten in ihrer Gemeinde zählte. In acht Jahren malte sie fast dreitausend Bilder, manche davon so groß, dass sie zwei Männer überragt hätten! Einige verglichen ihre Kunst mit großen Künstlern wie Claude Monet oder Jackson Pollock, aber Emily hatte nie auch nur ein einziges Bild eines anderen Künstlers gesehen. Sie malte, was sie sah und was sie träumte. Sie wurde die berühmteste Aborigines-Künstlerin Australiens und war bald auf der ganzen Welt bekannt. Doch das Geld, das sie für ihre Bilder bekam, teilte sie immer mit ihrer Sippe.

Emily führte das traditionelle Leben der Aborigines. Manchmal ging sie los, um Buschessen zu sammeln – so sagte man bei ihnen, wenn man in der freien Natur nach Nahrung suchte, nach Samen und Früchten, Witchetty-Maden und Honig. Gern schlief Emily unter dem weiten Wüstenhimmel. Dann konnte sie die Erde spüren, zu ihren Ahnen flüstern und träumen. Sie träumte davon, wie sie über das wilde Land flog. Träumte von Eidechsen und Emus, heiligen Gräsern und den Ntange-Samen, die der Wüstenwind über die Ebene wehte. Träumte davon, wie sie in die Erde glitt und sich zwischen den langen verdrehten Wurzeln der heiligen Yams hindurchwand, die über- und unterirdisch wuchs, als wolle sie eine Verbindung zwischen der Erde und den Geistern herstellen. Emily träumte, und dann malte sie, viel, sehr sehr viel.

YAYOI KUSAMA

ICH ERSCHAFFE KUNST,

UM DIE MENSCHHEIT ZU HEILEN.

EIN TUPFEN
IM UNIVERSUM

Die Sonnenstrahlen fielen durchs Fenster. Draußen erwachte die Stadt. Tokios Straßen waren von Lärm erfüllt. Vorbeieilende, geschäftige Menschen. Aber Yayoi gehörte nicht dazu. Sie war in ihrem Heiligtum, ihrem Zufluchtsort. Ihr Atelier lag in der Nähe eines Krankenhauses. Yayoi musste Kunst machen. Sie tat es nicht nur gern, es war für sie wie Medizin.

Heute sind ihre Bilder weltbekannt, aber der Anfang war für Yayoi alles andere als leicht. Als Kind malte Yayoi jeden Tag. Allerdings war ihre Mutter sehr traditionsbewusst und hielt nichts davon, dass Yayoi Künstlerin werden wollte. Sie sagte zu ihrer Tochter, sie müsse einen Mann aus reichem Hause heiraten und Hausfrau werden. Sie nahm ihr die Farben weg und zerriss ihre Bilder. Aber das stachelte Yayoi nur noch weiter an!

Als sie ein paar Jahre älter war, bat sie die Künstlerin Georgia O'Keeffe in einem Brief um Rat. Das Leben als Künstlerin sei überall hart, antwortete O'Keeffe, aber sie wolle versuchen, ihr zu helfen, soweit sie konnte. Von der

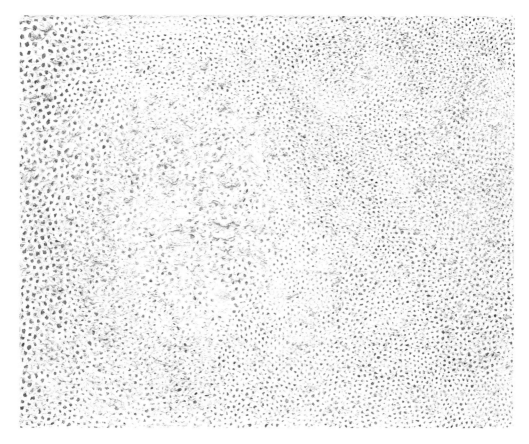

Nr. F, 1959

Antwort ermutigt, packte Yayoi ihre Zeichnungen und Gemälde in einen Koffer, nähte sich ein paar Geldscheine in ihre Kleider und verließ Japan.

Als Yayoi 1958 nach New York kam, ging sie zuallererst auf das Empire State Building. Von dort oben sahen die Menschen wie winzige Punkte aus. Yayoi schwor sich, eine berühmte Künstlerin zu werden. Sie wusste, dass sie es konnte. In ihr schlummerte ein Vulkan kreativer Energie.

Yayoi fand ein kleines Atelier und zimmerte sich aus einer alten Tür ein Bett. Das wenige Geld gab sie für Künstlerbedarf aus. Wenn sie nichts mehr zu essen hatte, stöberte sie in Mülleimern nach Gemüseabfällen und Fischköpfen, aus denen sie sich eine Suppe kochte. Manchmal konnte sie vor Kälte und Hunger nicht schlafen. Aber Yayoi gab nicht auf und machte weiter Kunst.

Sie malte weiße Wellenformen, indem sie kleine Punkte in sich wiederholenden Mustern auf einen grauen Hintergrund setzte. Diese Bilder nannte sie «Unendlichkeitsnetze». Von früh bis spät malte Yayoi, manchmal bis tief in die Nacht. Ihre «Netze» hatten keinen Mittelpunkt

und keine Perspektive. Wenn sie malte, schienen sich die Muster von der Leinwand zu schleichen und sich über Boden und Wände zu ergießen. Es waren Muster, in denen man sich verlieren konnte. Manche ihrer Bilder waren zehn Meter breit. Yayoi wollte die Weite des Universums ermessen – und ihren eigenen Platz darin.

New York war damals der Mittelpunkt der Kunstwelt. Künstler wie Andy Warhol oder Donald Judd schufen neue Kunstformen wie die Pop Art, in die Ideen aus Comics und Werbung einflossen, oder den Minimalismus, in dem die Kunst nicht mehr dazu dient, irgendetwas darzustellen. Der Betrachter sieht, was er selbst sehen will. Doch obwohl die Kunst aufregende neue Wege einschlug, waren alle berühmten Künstler Männer. Für eine junge Künstlerin aus Japan würde es schwer werden, sich durchzusetzen.

Dann kamen die 1960er Jahre und mit ihnen eine Zeit des Wandels: in Mode, Musik und Kunst. Und Yayoi saugte all das in sich auf. Sie schuf außergewöhnliche Skulpturen wie etwa ein Ruderboot voll weicher weißer Würste, die aus Stoff genäht waren und wie Körperteile aussahen. Sie stellte Kleider aus trockenen Makkaroni her. Ließ sich nackt fotografieren. Ritt auf einem mit Punkten übersäten Pferd durch die Parks und schuf sogenannte Happenings, bei denen die Teilnehmer auf der Straße die Kleider ablegten und tanzten, während Yayoi ihnen Tupfen auf die Haut pappte.

Wie war Yayoi auf die Idee mit den Tupfen gekommen? Ihre Familie hatte einhundert Jahre lang eine Plantage für Blumensamen betrieben, weshalb sie inmitten weiter Felder aus bunten Blumen aufgewachsen war. Mit zehn Jahren entdeckte sie bei einem Spaziergang, dass jedes Veilchen seinen individuellen Gesichtsausdruck hatte, fast wie ein Mensch. Und zu ihrem Erstaunen schienen die Veilchen zu ihr zu sprechen. Plötzlich sah sie wie aus dem Nichts Tupfen und Muster, die lebendig wurden und sich über die gesamte Umgebung legten. In ihrer Kunst wollte Yayoi diese überwältigenden Erlebnisse – ihre Halluzinationen – festhalten und verstehen lernen.

Yayoi arbeitete Tag und Nacht an ihren Werken, aber irgendwann war sie von der vielen Arbeit erschöpft. Obwohl sie in Amerika immer bekannter wurde, litt ihre geistige Gesundheit. Deshalb kehrte sie 1973 nach Japan zurück und wies sich selbst in ein Krankenhaus ein. Dank einer Kunsttherapie lernte sie, ihre Halluzinationen und die Angst davor in Kunst zu verwandeln. So konnte sie Bilder erschaffen, in die sich andere Menschen versenken und durch die sie Yayois innere Welten erleben konnten.

Heute besuchen Tausende Menschen ihre «Unendlichkeitsräume», um sich darin zu verlieren – und sich dessen gewahr zu werden, dass wir alle nur kleine Tupfen im weiten Universum sind.

Meine ewige Liebe zu den Kürbissen, 2016

GABRIELE MÜNTER

ABER MALEN IST WIE PLÖTZLICH
IN TIEFES WASSER SPRINGEN,
UND ICH WEISS VORHER NIE,
OB ICH WERDE SCHWIMMEN KÖNNEN.

BLAUE LANDSCHAFT

Am meisten Angst hatte sie davor, dass Soldaten kämen und gegen ihre Tür hämmerten. Bamm. Bamm! Es gäbe kein Entrinnen. Sie würde ihnen aufmachen müssen. Wie oft sie sich vorstellte, mit klopfendem Herzen zu öffnen und die glatten Uniformen zu sehen, die Augen aus Stahl. Sie würde ihnen Tee anbieten. Die Soldaten würden sie beiseitestoßen, ihre Möbel umkippen, in allen Winkeln suchen. Aber finden würden sie natürlich nichts. Dann würden sie wieder gehen und Gabriele in ihrem verwüsteten Wohnzimmer zurücklassen. Wenn sie nur daran dachte, begannen ihre Hände zu zittern.

Gabriele malte mit Leidenschaft. Genauso schien es die Leidenschaft dieser Männer zu sein, ihre Bilder zu zerstören. Die Nationalsozialisten waren der Meinung, wenn ein Gemälde nicht so aussah, wie sie es sich vorstellten, dann musste man es verbrennen. Aber Gabriele schuf ihre Kunst nicht für andere. Und sie wäre niemals auf die Idee gekommen, nur wegen ein paar Rüpeln plötzlich andere Bilder zu malen, selbst wenn sie mit der Angst leben musste, dass ihr die Bilder weggenommen würden.

Mit dem Malen begann Gabriele schon als kleines Mädchen. Doch Künstlerin zu werden wagte sie gar nicht erst zu hoffen. Denn damals war es Frauen in Deutschland nicht erlaubt, die Kunstakademie zu besuchen. Gabrieles Vater dagegen meinte, alle sollten im Leben dieselben Chancen haben und Mädchen sollten das tun können, was sie wollten. Er starb, als Gabriele neun war. Ihr Bruder sorgte dafür, dass sie bei dem hochbegabten Künstler Ernst Bosch privaten Zeichenunterricht bekam. Aber nur detailreich Menschen bei der Heuernte zu zeichnen, das war Gabriele zu wenig.

Als sie einundzwanzig war, starb ihre Mutter. Zusammen mit ihrer Schwester ging Gabriele 1898 nach Amerika, wo sie von Verwandten eine Kodak Boxkamera geschenkt bekam. Was für eine Wunderkiste! Anfangs fand Gabriele es noch etwas knifflig, die Kamera vor der Brust zu halten und von oben in den Bildsucher zu schauen, aber schon bald hatte sie den Trick heraus. Wie großartig, einen kurzen Augenblick im Bild festzuhalten und die Zeit stillstehen zu lassen! Die Kamera eröffnete ihr eine neue Welt.

1902 ermutigte sie der russische Künstler Wassily Kandinsky – der in München an der privaten Kunstschule Phalanx lehrte –, frei zu malen. Er meinte, als Schülerin sei sie hoffnungslos! Aber er sagte auch: «Alles, was ich für dich tun kann, ist, dein Talent zu hüten und zu pflegen, als guter Gärtner, nichts Falsches dazukommen zu lassen.» Kandinsky erklärte ihr, wie Farben funktionieren und wie sie sie am besten in ihren Bildern einsetzen konnte. Er sah Farben als Musik. Rot sei lebendig und unruhig, grün still und ruhig und gelb aufregend! Immer mehr, immer schneller wollte Gabriele malen! Kandinsky brachte ihr bei, mit dem Spachtel zu malen, sodass sie die Farben schneller auftragen und ganz andere Effekte erzielen konnte als mit dem Pinsel.

Zusammen gingen sie zum Malen in die bayerischen Berge. Lange Abende, erfüllt von Kunst, Liebe und Politik. Später dann gründeten sie mit Freunden die Künstlergruppe Der Blaue Reiter. Sie wollten etwas völlig Neues schaffen, sich auf andere Weise ausdrücken, die Menschen bewegen. Sie stellten sich gegen die bürgerliche Gesellschaft, in der sich alles nur um Gier und Luxus drehte. Ihre Kunst sollte ihre eigene Weltsicht ausdrücken, ihre Vorstellung von Wahrheit und Schönheit, die sie vor allem in Unschuld und Schlichtheit sahen. Es war eine stille, intelligente Revolution. Ihre Kunst schockierte die Menschen, die meinten, Kunst müsse prachtvoll und opulent sein und dürfe den Betrachter nicht verunsichern.

Einmal schrieb Gabriele über ihre Zeit in Bayern und wie die Landschaft ihr half, sich selbst in ihren Werken auszudrücken. Es war ein warmer Sommerabend, sie ging allein spazieren. Die Wildblumen nickten schläfrig, die Insekten schwirrten zirpend durch die Luft. Vor ihr die kleine Kneipe, dahinter der aufsteigende Pfad. Und in der Ferne erhob

Mai-Abend in Stockholm, 1916

Der blaue See, 1934

sich ein blauer Berg, der von rötlichen Wolken geküsst wurde. Rasch malte sie die Szene, um den flüchtigen Moment festzuhalten. Und dann geschah es. Es kam ihr vor, als würde ihr das Herz aufgehen, als wäre sie ein singender Vogel. Gabriele glaubte daran, dass Farben Gefühle ausdrücken können. Sie mischte die Farben so, dass sie komplexe Tönungen und besondere optische Effekte erreichte. Farbenfroh und kühn wurde ihr Bild, ein Gemälde mit hellen Farben und schlichten Formen: Sie nannte es Der blaue Berg (1909). Sie hatte ihre künstlerische Stimme gefunden.

Als der Erste Weltkrieg ausbrach, musste Kandinsky das Land verlassen und seine Malerei in Russland fortführen. Zu Beginn des Zweiten Weltkriegs fürchtete Gabriele um Kandinskys Werke und die des Blauen Reiters. Deshalb versteckte sie sie bei sich daheim, obwohl sie wusste, dass sie dafür verhaftet werden konnte, wenn man die Bilder bei ihr fand. Aber die Gemälde waren bei ihr sicher verwahrt, bis man sie schließlich wieder zeigen durfte. Gabriele selbst brauchte indes Jahre, bevor sie wieder anfing zu malen. Sie schuf lebendige Landschaften, experimentierte mit Abstraktion, Volkskunst und Porträtmalerei. Für Gabriele war die Kunst eine Möglichkeit, ihre Vorstellung von der Welt unter die Lupe zu nehmen und ihr Herz zum Klingen zu bringen.

GEORGIA O'KEEFFE

ICH STELLTE FEST,

DASS ICH MIT FARBEN UND FORMEN

DINGE SAGEN KONNTE,

DIE ICH AUF ANDERE WEISE

NICHT SAGEN KONNTE – DINGE,

FÜR DIE ICH KEINE WORTE HATTE.

DIE MUTTER
DER MODERNE

Georgia lächelte. Sie war am Schwarzen Ort. Die dunklen, grüblerischen Felsen von New Mexico wallten und wogten sie an. Andere Menschen mochten darin nichts Schönes erkennen, Georgia fand sie großartig und erhebend. Denn für sie waren sie nicht nur schwarz, sondern hatten die verschiedensten Tönungen, rostfarben, violett, braun wie Eschenholz. Sie konnte tagelang in dieser Gegend bleiben und die Felsen malen, ohne dessen müde zu werden.

Schon als junges Mädchen wusste Georgia, dass sie Künstlerin werden wollte. Ihre Lehrer auf der High School in Wisconsin unterstützten sie in ihrem Wunsch. Ihre Kunstlehrerin war eine dünne Frau mit leuchtenden Augen, die immer denselben Hut mit künstlichen Veilchen trug. Selbst Jahre später erinnerte sich Georgia noch daran, wie ihre Lehrerin sie auf die wundersamen Formen und die subtilen Farbvarianten der Blumen hinwies: die Violetttönungen vom tiefen,

Sommertage, 1936

Stechapfel/Weiße Blüte Nr. 1, 1932

erdigen Lila bis zur hellen Malvenfarbe und die unendliche Vielfalt an Grüntönen. Noch nie hatte sich Georgia ein lebendiges Wesen so genau angesehen, und plötzlich juckte es ihr in den Fingern, diese Blume zu malen. Fortan achtete sie in allem auf jede Kleinigkeit, um sie sodann in ihren Gemälden nachzubilden.

1905 ging sie an das Art Institute of Chicago, und nach ihrem Abschluss nahm sie Lehrtätigkeiten in South Carolina und Texas auf. In diesen rauen Gegenden brannte im Sommer die Sonne herunter; hier konnte man im Winter zum Eisblock gefrieren. All das liebte sie. Sie war fasziniert von der wilden Natur.

Wie eh und je verspürte Georgia den inneren Drang zu malen, aber jetzt wollte sie das Gegenteil von dem tun, was man ihr beigebracht hatte. Sie machte ein Experiment und verbot sich, Farben zu verwenden. So saß sie tagein, tagaus mit einem Stück Kohle in ihrem Zimmer auf dem Fußboden und versuchte ihren Gefühlen Ausdruck zu verleihen, ihrem wahren, innersten Kern. Und nach monatelangen frustrierenden Versuchen spürte sie plötzlich eine neue Freiheit, die in ihre Kunst geflossen war. Ihre Bilder bestanden nun aus abstrakten Formen, die züngelnde Flammen oder die Lebenskraft zarter frischer Triebe evozierten.

1912 lernte sie auf einem Sommerseminar an der Universität von Virginia die revolutionären Ideen des Professors Arthur Wesley Dow kennen, der seine Schüler zum freien künstlerischen Ausdruck ermutigte. Arthur hatte eine völlig neuartige Vorstellung davon, wie ein

Kunstwerk auf der Leinwand zu komponieren sei, und er war der Ansicht, Kunst solle eine Kraftquelle für alle Menschen sein, in jedermanns Alltag, und nicht nur als Zierde für einige wenige dienen. Ideen, die Georgia liebend gern aufgriff.

Sie begann Blumen zu malen, aber auf eine völlig neue Art und Weise. «Meist sehen wir die Blumen gar nicht», sagte sie. «Sie sind so klein – wir haben keine Zeit – und zum Sehen braucht man Zeit, so, wie man sich für einen Freund Zeit nehmen muss. Ich will selbst die vielbeschäftigten New Yorker dazu bringen, sich die Zeit dafür zu nehmen, wie ich die Blumen sehe.» Georgia wollte in ihren Bildern zeigen, was Blumen ihr bedeuteten, und malte sie daher so groß, wie sie nur konnte. Ihre riesigen Gemälde bilden deren Zerbrechlichkeit und Perfektion auf intime Weise ab. Die Kritiker waren irritiert. Georgia malte völlig anders als alle ihre Zeitgenossen.

Anfangs wusste niemand, wie er auf Georgia und ihre Kunst reagieren sollte. Schon als junge Frau stach sie aus der Masse heraus. Sie hatte einen klaren, durchdringenden Blick, mit dem sie ihrem Gegenüber tief in die Seele zu schauen schien. Am liebsten trug sie Schwarz, auf dem Kopf einen Herrenfilzhut. 1916 schickte sie ihre Bilder einem Freund, der sie heimlich dem berühmten Fotografen Alfred Stieglitz zeigte. Alfred war so begeistert, dass er die Werke in seiner Galerie in New York aufhängte. Damit begann eine außergewöhnliche kreative Partnerschaft und Liebesbeziehung. In den 1920er Jahren war Georgia eine der bekanntesten Künstlerinnen der Welt. Sie genoss den Erfolg, konnte sich aber mit der lauten Stadt, den pompösen Vernissagen und Partys nicht anfreunden. Am wohlsten fühlte sie sich in der freien Natur, allein mit ihrer Staffelei und ihren Farben.

In den 1930er Jahren kaufte Georgia am Rande der Stadt Abiquiú in New Mexico einen heruntergekommenen Bauernhof, die Ghost Ranch. Etwa 250 Kilometer nordwestlich davon lag der Black Place, der Schwarze Ort, den sie so gern malte. Georgia arbeitete bei jedem Wetter – selbst wenn der Wind sie, wäre sie vom Stuhl aufgestanden, davongeweht hätte, und selbst wenn die Hitze so übermächtig wurde, dass sie unter ihr Auto kriechen musste, um sich abzukühlen. Am Schwarzen Ort schuf sie mehrere Meisterwerke, die Künstler auf der ganzen Welt beeinflusst haben. Heute nennt man sie wegen ihres bahnbrechenden kühnen Malstils die «Mutter der amerikanischen Moderne».

New Mexico war für sie ein nicht versiegender Quell der Inspiration. Besonders mochte sie Dinge, die wir für gewöhnlich übersehen, eine Tür in einer alten Mauer oder eine kleine Blume. Sie steckte violette oder weiße Blüten an den Schädel eines Rindes oder arrangierte Gebeine so, dass sie ein natürliches Setting im Zusammenspiel mit Wüstenlandschaft und Himmel ergaben. Diese Sujets, die manche furchteinflößend oder gar abstoßend fanden, verwandelte sie in ihren Bildern in Schönheit. «Malerin zu sein erfordert Mut», bekannte sie. «Es kommt mir so vor, als wäre ich mein Leben lang über eines Messers Schneide gegangen ... aber ich würde es immer wieder so machen. Ich möchte nur das tun, was ich wirklich selbst tun will.»

LJUBOW POPOWA

DAS WICHTIGSTE IST DER GEIST

DES KREATIVEN FORTSCHRITTS.

LJUBOW POPOWA

EIN BILD
DER ZUKUNFT

«Die Revolution kommt!», hörte sie auf ihrem Heimweg die Menschen flüstern. Sie wusste es schon. Alle ihre Freunde redeten seit Monaten davon. «Ja!», lachte sie, als sie zu Hause war. «Ja, die Revolution kommt. Was für eine schöne Welt uns erwartet!»

Für Ljubow und ihre Freunde ging es in der Russischen Revolution von 1917 um mehr als nur die Frage, wer ihr neuer Anführer werden würde. Es ging um eine neue Lebensweise. Russland würde das Land sein, in dem alles anders ist, in dem alle gleich sind. Stellt euch das vor! Eine Welt, in der die Bauernhöfe und Fabriken den Arbeitern gehörten, wo man nichts bezahlen musste, wenn man zum Arzt oder in die Schule ging. Eine Welt, in der Kunst und Theater allen Menschen offenstanden, in der Künstlerinnen genauso respektiert wurden wie ihre männlichen Kollegen. So begann die Russische Revolution. Nach dem Sturz des Zaren und der russischen Könige und Königinnen sollte eine neue kommunistische Führung an ihre Stelle rücken.

Raum – Kraft – Konstruktion, 1920/21

Ljubows Wohnung war voller Bilder, auf denen farbenfrohe, eckige Formen zu sehen waren. Auf ihren Reisen nach Frankreich und Italien hatte sie 1914, wenige Jahre vor der Revolution, den Kubismus mit seinen geometrischen Formen und den Futurismus kennengelernt, der das Gefühl einer neuen, von Geschwindigkeit und Technologie geprägten Zeit einzufangen versuchte. Für Ljubow waren das vollkommen neue Ideen. Zurück in Russland, begann sie mit ihnen zu experimentieren. 1916 schloss sie sich der Gruppe Supremus an, russischen Avantgardekünstlern unter der Führung des Malers Kasimir Malewitsch. Sie wollte die wahnwitzigen Veränderungen, die um sie herum geschahen, in Bilder fassen. Sie malte Figuren und Stilleben, als bestünden sie aus dreidimensionalen Blöcken und Formen, wodurch sie energiegeladen und dynamisch wirkten. Wer ihre Bilder betrachtete, meinte, durch ein Kaleidoskop auf die Welt zu blicken.

Ljubow war eine von mehreren avantgardistischen russischen Künstlerinnen, zu denen auch Warwara Stepanowa und Natalija Gontscharowa gehörten. Sie waren begabt, einfallsreich und sendungsbewusst. Sie stellten ihre Werke zusammen mit berühmten Künstlern aus Europa aus und wurden für ihre dramatischen

Architektonisches Gemälde, 1917

Kunstwerke geschätzt. Meist trafen sie sich alle bei Ljubow daheim und redeten dann oft die ganze Nacht hindurch. Sie glaubten, die Revolution werde die Kunst und deren Platz in der Welt für immer verändern. Dazu wollten sie beitragen. Sie stürzten sich in die Arbeit, fertigten Plakate an und malten Wandbilder, um die Ideen der Revolution zu verbreiten, die von einer von Industrie und Gleichberechtigung geprägten Zukunft sprach.

Doch bald fanden es Ljubow und ihre Kollegen altbacken, zum Malen vor einer Staffelei zu stehen. Ein neuer Weg brach sich Bahn. Sie wollten nicht mehr allein in ihren Ateliers malen, sondern mit allen gemeinsam arbeiten, mit Architekten, Designern und den Anführern des Volkes. Alle sollten beim Aufbau der neuen Nation mithelfen. Etwas Nützliches zu schaffen sei eine ehrenvolle Aufgabe. Sie wollten Textilien und Porzellan herstellen, Buchumschläge und Bühnenbilder entwerfen, denn Kunst sollte praktisch und für alle da sein. Ljubow und ihre Freunde nannten diese neue Richtung «Konstruktivismus». Und Ljubow selbst stand im Zentrum dieser Bewegung, sie war die Frau, die Veränderungen forderte und anstieß.

Produktionskleidung Nr. 1, 1921

FAITH RINGGOLD

ICH HABE IMMER GEWUSST,

DASS MAN NUR DAS BEKOMMT, WAS MAN WILL,

WENN MAN SICH NIE MIT WENIGER ZUFRIEDENGIBT ...

ICH HABE IMMER GEWUSST,

DASS ICH KÜNSTLERIN WERDE.

GENÄHTE GESCHICHTE

Sie nannten ihn den Teerstrand. Ein Strand wie kein anderer, gelegen auf einem harten schwarzen Dach, das den klebrigen Geruch heißen Asphalts verströmte. Dahinter erhob sich das rauschende Meer der Wolkenkratzer, Brücken und Wohnblöcke, in dem tief unten die Taxis und Autos gegen die Ampelanlagen anbrandeten.

Für Faith war dieser Teerstrand auf einem Dach in Harlem, im Norden New Yorks, ein magischer Ort. Ein Ort zum Träumen. An warmen Sommerabenden lagen Faith und die anderen Kinder auf einer Matratze und schauten über die funkelnde Stadt zu den Lichtern der George Washington Bridge, während ihre Eltern um den alten grünen Tisch saßen und Karten spielten. Sie fühlten sich unbesiegbar. Alles war möglich. Sie träumten davon, aufzufliegen und die Sterne zu berühren, die rundum herabzuregnen schienen. Und sie konnten jedes Hindernis umfliegen, das ihnen in den Weg kam.

Teerstrand (Teil I der Reihe Frau auf Brücke), 1988

In den 1930er Jahren steckte Amerika in einer schweren Wirtschaftskrise, es gab kaum etwas zu essen. Keine leichte Zeit, aber in Faith' Elternhaus herrschte trotzdem immer Trubel. Ihre Mutter Willi Posey war Modedesignerin, ihr Vater Andrew erzählte am laufenden Band Geschichten. Stets waren Leute zu Besuch, um zwischen Stoffresten Tee zu trinken und zu plaudern.

Faith war ein neugieriges und künstlerisch begabtes Kind, und sie wollte es zu etwas bringen. Da sie wegen ihres Asthmas nur selten zur Schule gehen konnte, blieb sie meist zu Hause bei ihrer Mutter und malte oder färbte Kleider. Doch schon als kleines Mädchen wusste sie, dass sie zur Uni wollte. Sie war fasziniert von den Studenten, die aus der U-Bahn strömten. Einmal ging sie ihnen nach, zum City College. «Da will ich auch hin», sagte sie zu ihrer Mutter, «und Kunst studieren.» – «Dann machst du das auch», erwiderte Willi.

Später fand Faith heraus, dass nur Jungs das City College besuchen durften. Aber sie wusste sich immer zu helfen, um Hindernisse zu umgehen. Sie überredete den Direktor, sie als einziges Mädchen aufzunehmen, damit sie Kunstlehrerin werden konnte. Wie Faith sagte: Sie durfte Kunst machen, nur Künstlerin sein durfte sie nicht.

Aber natürlich wurde Faith trotzdem Künstlerin. Doch so gut sie als Künstlerin auch sein mochte, sie war Afroamerikanerin, und sie war eine Frau. In Amerika hatten Afroamerikaner jahrhundertelang nicht dieselben Rechte wie Weiße. Das änderte sich erst mit der Bürgerrechtsbewegung, worauf Afroamerikaner allmählich anständiger behandelt wurden. Aber die Kunstszene beherrschten nach wie vor die weißen männlichen Künstler. Als Faith hörte, dass es im berühmten Whitney Museum of American Art eine große Kunstschau ohne einen einzigen afro-amerikanischen Künstler geben sollte, wurde sie fuchsteufelswild.

Da heckte sie einen Plan aus. Sie wollte zusammen mit ihren Freunden zur Eröffnung gehen, um immer dann, wenn gerade kein Mitarbeiter in der Nähe war, in ihre mitgebrachten Pfeifen zu blasen. Sie verteilten sich im Museum, und bald war es von ohrenbetäubendem Lärm erfüllt! Die Kuratoren machte es rasend! Denn sie fanden einfach nicht heraus, woher das Pfeifen kam. Und der Protest hatte – zumindest teilweise – Erfolg. Die Kuratoren luden einige afroamerikanische Künstler zu einem Treffen ein. Allerdings nur Männer. Frauen mussten draußen bleiben. Es würde wohl noch länger dauern, bis Künstlerinnen anerkannt würden. Faith schuf kraftvolle, provokative Kunst. Doch damals wollte niemand Bilder kaufen, die den Betrachter herausfordern. Immer wieder fragte sich Faith: «Was ist der Unterschied zwischen Kunst von Frauen und Kunst von Männern?»

Eines Tages ging ihr schließlich auf, dass sie immer schon von kunstvollen Dingen umgeben gewesen war, die von Frauen gemacht wurden. Handarbeiten und Quiltherstellung waren für die Frauen in ihrer Familie seit jeher ein wichtiger Teil ihres Lebens gewesen. Angefangen bei ihrer Urururgroßmutter, die als Sklavin Quilts fertigte, damit die Familie es warm hatte. Wissen und Tradition wurden von Mutter zu Tochter weitergegeben. Und nun war sie an der Reihe. Mit der Hilfe ihrer Mutter fertigte Faith ihren ersten Kunstquilt an. Und sollte fortan noch viele mehr kreieren.

Quiltherstellung mit Sonnenblumenmuster in Arles, 1996

Die Quiltherstellung zeigte Faith, was sie mit den Frauen ihrer Vergangenheit verband, und bot ihr die Möglichkeit, eine neue Kunstform zu erschaffen. Sie konnte so große Bilder herstellen, wie sie wollte, und sie im ganzen Land in den Galerien zeigen. Dazu musste sie die Quilts nur einrollen und in ihrem Kofferraum verstauen – so konnte sie eine ganze Ausstellung im Auto transportieren! Und stellt euch vor: All die Leute, die an ihren ersten Bildern achtlos vorbeigegangen waren, nahmen plötzlich von ihr Notiz. Auf den Quilts konnte sie endlich ihre politischen Botschaften anbringen.

Fünfzig Jahre nach ihrem Pfeifprotest kaufte das Whitney Museum für seine Sammlung einen Druck von Faith. Inzwischen besitzen auch andere große Museen und Galerien ihre Quilts. Ihre Kunstwerke hängen in den Häusern von Präsidenten, ihre Mosaiken erstrecken sich in New York durch ganze U-Bahn-Stationen.

Es war Faith immer wichtig, Dinge zu ändern. Sie hat nicht nur die Kunst durch eine neue Bildsprache bereichert, sondern auch viele Kinderbücher geschrieben und die Stiftung Anyone Can Fly gegründet, die Kindern und Erwachsenen bedeutende afroamerikanische Künstler näherbringt. Ihre Gruppe Where We At unterstützt schwarze Frauen darin, ihre eigene künstlerische Stimme zu finden. «Du kannst nicht dasitzen und darauf warten, dass dir jemand anders sagt, wer du bist», sagte sie. «Du musst selbst schreiben, selbst malen, es selbst tun. Daher kommt die Kunst. Sie ist ein sichtbares Bild des Menschen, der du bist. Darin liegt die Macht des Künstlers.»

AMRITA SHER-GIL

MEINE KUNST IST NICHT MEINE KARRIERE,

SIE IST ICH SELBST.

DIE FARBE DER SONNE

Staub wirbelte auf, als sie durch das Dorf gingen. Flirrend stieg die Hitze vom ausgedörrten Boden und ließ die Gegend glimmen. Dass Amrita nach Saraya zurückgekommen war, überraschte niemanden, sie hatte während ihres Studiums in Paris oft davon gesprochen, nach Indien zurückkehren zu wollen. Das Licht in Europa kam ihr so grau vor. Sie fühlte sich dort dumpf und schwer. In Indien dagegen schien das Licht mit ihr zu sprechen.

Amrita strotzte vor Lebenskraft und Energie. Ihre Bilder dagegen zeigten eine andere Seite von ihr. Sie waren ruhig und voller Zärtlichkeit. Manche sagten, es seien Bilder der Traurigkeit. Aber vermutlich hatte Amrita gar nichts Trauriges malen wollen, sondern malte einfach nur die Wirklichkeit, die sie sah. Die hart arbeitenden Menschen auf dem indischen Land berührten sie zutiefst. Sie erkundete die stillen

Gruppe mit drei Mädchen, 1935

Momente im Leben der Menschen, vor allem die weiblichen Gefühle und
die private Seite des indischen Alltags.

Die Szenen, die sie malte, schienen weit weg von ihrem eigenen privilegier-
ten Leben zu sein. Amrita hatte als Kind alle Vorteile genossen. Geboren in
Ungarns Hauptstadt Budapest, kam sie mit acht Jahren nach Indien. Ihre
Mutter war eine ungarische Opernsängerin, ihr Vater ein adeliger Sikh aus
Nordindien und ein phantastischer Fotograf. Sie wohnten in einem schönen
Haus und hatten viele Freunde. Schon früh wussten Amritas Eltern, dass
ihre Tochter Künstlerin werden würde. Mit fünf begann sie die Volks-
märchen zu zeichnen, die ihre Mutter ihr erzählte. Mit sechzehn ging sie
nach Paris, um auf einer der besten Akademien Kunst zu studieren.

Amrita war ein Naturtalent, aber sie arbeitete auch sehr hart. Ihre
Schwester, ihre Cousins und ihre Freunde standen ihr Modell. Sie malte sie
alle! Drei Jahre nach ihrem Studium in Paris gewann sie als erste Asiatin auf
dem Pariser Salon 1932 eine Goldmedaille. Eine große Auszeichnung. Aber
Amrita war hin- und hergerissen. Sie empfand ihre indische Vergangenheit
als einen Teil ihrer Identität, der bislang in ihren Werken nicht zum
Ausdruck gekommen war, weshalb sie nach Indien zurückkehrte, um ihre
Kunst weiterzuentwickeln.

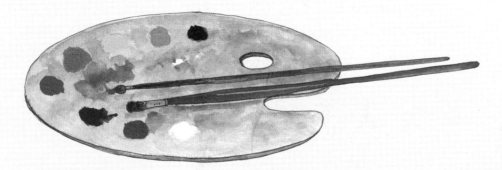

Damals beschäftigte sich die indische Kunst ausschließlich mit Land-schaften und der traditionellen Mythologie. Künstler aus dem Westen sahen nur die privilegierte, koloniale Seite des Landes – die Elefanten, die Seide, den Glanz. Amrita dagegen interessierte sich vor allem für die Bengal School of Art. Deren Augenmerk lag auf Kunstwerken, die das Erbe und die Tradition der eingeborenen Bevölkerung darstellten. Das war ihr Widerstand gegen die britische Kolonialherrschaft. 1936 reiste Amrita durch das weite Land und traf viele Dorfbewohner und Frauen, deren Alltag sie in ihren Bildern festhielt.

Dazu kombinierte sie die westlichen Techniken, die sie in Paris gelernt hatte, mit den indischen Farben und Traditionen. Endlich konnte sie ihren Durst nach Farben stillen. «In Europa sind die Farben blass – alles ist blass», sagte sie einmal. «Ein weißer Mann hat eine andere Farbe als ein Hindu. Die Intensität der Sonne verändert das Licht. Der Schatten des weißen Mannes ist bläulich-violett, der des Hindus gold-grün. Mein Schatten ist gelb. Jemand hat einmal zu van Gogh gesagt, gelb sei die Lieblingsfarbe der Götter, und das ist wahr.»

Sie entwickelte ihren eigenen, einzigartigen Stil. Sie malte Kamele, Karrenfahrer, Bedienstete, Stammesfrauen und Mütter, die sich um ihre Kinder kümmern. Man meinte, einen kurzen Blick in das Privatleben der Menschen zu erhaschen, die Amrita malte. Ihre Bilder waren wunderschön und eindringlich zugleich.

«Ich möchte eine Botschafterin sein», sagte sie, «und das Leben der Menschen, vor allem der armen Menschen, zeigen.» In der Tat, das war sie: eine Botschafterin der Farbe.

ALMA
THOMAS

EINE WELT OHNE FARBEN

WÜRDE UNS TOT VORKOMMEN.

FARBE IST LEBEN.

SUZANNE VALADON

ICH HABE MICH GEFUNDEN,
ICH HABE MICH GEMACHT.

EINFACH DAS LEBEN

Manche Menschen können uns den Atem rauben. Wie sie sich durchs Leben tanzen. Welche Gefühle sie in uns auslösen, wenn sie uns ansehen. Bei Suzanne war es nicht nur ihre Schönheit – sie war wirklich wunderschön –, sondern auch die Art und Weise, wie sie mit Menschen umging, ob obdachlos oder reich und berühmt. Sie hatte etwas Verletzliches an sich und war doch zu allem fähig. Und sie war furchtlos und unerschrocken.

Suzanne wuchs in Paris auf, in den Straßen von Montmartre. Wer ihr Vater war, wusste sie nicht. Ihre Mutter versuchte ihren Lebensunterhalt zu bestreiten, indem sie Wäsche wusch. Als Suzanne zehn Jahre alt war, suchte sie sich selbst Gelegenheitsarbeiten, um sich etwas hinzuzuverdienen. Sie verkaufte Gemüse, kellnerte, machte Hüte und Trauerkränze. Dann ging sie zum Zirkus. Sie war zwar erst fünfzehn, aber sie war grandios! Sie tänzelte über das Hochseil, als wäre es die natürlichste Sache der Welt. Doch dann fiel sie vom Seil und verletzte sich so schwer am Rücken, dass sie ihre Karriere als Akrobatin beenden musste.

Marie Coca und ihre Tochter Gilberte, 1913

In den 1880er Jahren lebten viele Künstler in Montmartre. Suzanne schien sie alle zu kennen. Sie fragten sie, ob sie für sie Modell stehen wolle, und schon bald war das ihre Ganztagsbeschäftigung. Die berühmtesten Pariser Künstler haben sie gemalt: Pierre-Auguste Renoir, Berthe Morisot und Henri Toulouse-Lautrec. Wenn sie nicht Modell stand, sorgte sie anderswo für Aufruhr. Sie ging gern ins Cabaret, wo sie Furore machte, indem sie mit nichts als einer Maske bekleidet das Geländer hinunterrutschte.

Madame Levy, 1922

Suzanne war intelligent und neugierig, und sie liebte die Kunst. Sie beobachtete die großen Maler, für die sie Modell stand, bei ihrer Arbeit. Schließlich begann sie selbst zu zeichnen und zu malen, wofür sie deren Techniken anwandte, aber ihre ganz eigenen Farben mischte. Sie brachte sich alles selbst bei und wurde ohne Ausbildung eine eigenständige Künstlerin. Als der berühmte impressionistische Maler Edgar Degas ihre Werke sah, rief er begeistert aus: «Mein Kind, es ist vollbracht! Sie sind eine von uns!» Er kaufte drei ihrer Bilder und wurde ihr Mentor.

Suzannes Leidenschaft für Bilder war ebenso groß wie ihre Leidenschaft für das Leben, und bald hatte sie auch als Künstlerin Erfolg. 1894 wurde Valadon als erste Malerin in die *Société Nationale des Beaux-Arts* aufgenommen. Wem das gelang, der hatte es geschafft! Meist malte Suzanne Akte oder Porträts, aber auf eine ganz andere Art und Weise als die Männer. Ihre Bilder hatten nichts Gestelltes oder Großsprecherisches, sondern zeigten Frauenkörper, wie eine Frau sie sah, in gewöhnlichen Alltagsszenen. Meist malte Suzanne Freundinnen aus der Arbeiterklasse. Ihre Bilder waren realistisch und unromantisch, mit kräftigen Farben, breitem Pinselstrich und klaren schwarzen Konturen statt der traditionellen Tinte und Wasserfarbe. Manche fanden sie unfeminin und unattraktiv, aber diese Kritik verfehlte ihr Ziel. Denn Suzanne malte eine Facette des Lebens, die die anderen Künstler mieden. Ihre Kunst war genauso ehrlich und direkt wie sie selbst.

Nach dem Ersten Weltkrieg wurde Suzanne noch bekannter. Ihre Arbeiten waren nun auf der ganzen Welt zu sehen, und noch heute werden sie in berühmten Museen wie dem Centre Pompidou in Paris oder dem Metropolitan Museum of Art in New York gezeigt.

Suzannes Privatleben fanden die Leute übrigens genauso spannend wie ihre Kunst. Sie hatte Liebesaffären mit berühmten Malern und Komponisten. Am Sonntag gab sie ihren Katzen Kaviar und ihre Lieblingsziege durfte ihre misslungenen Bilder verspeisen. Um ihre Freunde zu überraschen und die Menschen zum Lachen zu bringen, zog sie sich ein Korsett aus Mohrrüben an. Sie war ein Freigeist und eine großartige Künstlerin. Gestorben ist sie beim Malen an ihrer Staffelei. Alle großen Pariser Künstler kamen zu ihrer Beerdigung, die ein unvergessliches Ereignis wurde. Suzanne hat uns gezeigt, dass wir sein können, was wir wollen, ganz gleich, woher wir kommen und wie schwer uns das Leben fällt.

GALERIE DER KÜNSTLERINNEN

KENOJUAK ASHEVAK

1927 – 2013 | Kanada

Kenojuak Ashevak hat eine moderne Form der
Inuit-Kunst ins Leben gerufen. Inspiriert von der
Verbindung ihrer Gemeinschaft mit der Natur, wurde
ihre Grafik «Die verzauberte Eule» das bekannteste
Werk kanadischer Inuit-Kunst. Ashevak ist auch
Mitgründerin einer Gruppe, die es Inuit-Künstlern
ermöglicht, mit ihren Arbeiten den Lebensunterhalt
zu verdienen.

BARBARA HEPWORTH

1903 – 1975 | Großbritannien

Barbara Hepworth gehört zu den bedeutendsten
britischen Künstlern. In ihren bahnbrechenden
Skulpturen aus Holz, Stein und Bronze spiegelt
sich ihre Vorstellung vom Menschen und von der
britischen Landschaft. Ihr Leben lang erhielt sie von
öffentlichen Einrichtungen Auftragsarbeiten, auch
von den Vereinten Nationen in New York. Ihrem Werk
sind zwei Museen gewidmet.

HANNAH HÖCH

1889 – 1978 | Deutschland

Hannah Höch war das einzige weibliche Mitglied der in den 1920er Jahren aktiven Dadaisten. Ihre innovativen Fotomontagen, die sie aus Ausschnitten aus Zeitschriften und Zeitungen zusammenstellte, unterschieden sich radikal von den damals beliebten realistischen Gemälden. Höch nutzte ihre Kunst, um damit die geltenden Vorstellungen von der Rolle der Frau in der Gesellschaft in Frage zu stellen und ihre Kritik an der Regierung zu formulieren.

TOVE JANSSON

1914 – 2001 | Finnland

Tove Jansson war Malerin, Illustratorin und Autorin. Die von ihr erfundenen Mumins machten sie weltberühmt. Bereits als Jugendliche zeichnete sie für eine politische Zeitschrift in Finnland Karikaturen. Ihre große Liebe galt der Malerei, die sie aber viele Jahre lang zugunsten ihres Hauptwerks, der ungemein populären Comics und Kinderbücher der Mumins, zurückstellen musste.

FRIDA KAHLO

1907 – 1954　|　Mexiko

Die mexikanische Malerin Frida Kahlo gehört zu den bedeutendsten Künstlern des 20. Jahrhunderts. Als eine der Ersten griff sie in ihren Bildern auf spezifisch weibliche Erfahrungen zurück. Kahlos Selbstporträts werden für die selbstkritische Betrachtung ihres mexikanischen Erbes, ihrer Behinderung und ihrer Sexualität gefeiert.

CORITA KENT

1918 – 1986　|　USA

Corita Kent setzte sich als Künstlerin und Lehrerin für soziale Gerechtigkeit ein. Mit 18 Jahren trat sie einem katholischen Orden bei, an dessen Schule sie unterrichtete und die Kunstabteilung leitete.
Von der Populärkultur inspiriert, ließ sie Botschaften der Hoffnung und der Gleichberechtigung in ihre lebhaften Siebdrucke einfließen.

EMILY KAME KNGWARREYE

1910 – 1996 | Australien

Emily Kame Kngwarreye gehört zu den
bedeutendsten Künstlern Australiens. 1977 erlernte
sie zusammen mit anderen Aborigines-Frauen
aus Utopia die Herstellung von Batiken. Mit ihren
Kunstwerken wollten die Frauen zeigen, dass
ihnen das Recht zustand, das Land ihrer Ahnen zu
bewohnen. 1988 kam Kngwarreye erstmals mit der
Malerei in Berührung und schuf in ihren letzten acht
Lebensjahren über 3000 Werke.

YAYOI KUSAMA

* 1929 | Japan

Yayoi Kusama gehört zu den vermutlich beliebtesten
zeitgenössischen Künstlern. Ende der 1950er Jahre
ging die gebürtige Japanerin nach New York, wo
sie sich einen Ruf als immens kreative Malerin und
Performancekünstlerin erarbeitete. Kusamas Werke
umfassen Bilder, Installationen, Skulpturen, Filme und
Performancekunst.

GABRIELE MÜNTER

1877 – 1962 | Deutschland

Gabriele Münter war zusammen mit Wassily Kandinsky
Gründungsmitglied der Gruppe Der Blaue Reiter.
Sie hatte großen Einfluss auf die Entwicklung des
expressionistischen Stils, bei dem Farben nicht realistisch
verwendet werden, sondern vor allem, um Gefühle
zu evozieren. Die besondere Art und Weise, in der sie
kräftige Farben und Konturen einsetzte, war für die
damalige Zeit sehr gewagt.

GEORGIA O'KEEFFE

1887 – 1986 | USA

Georgia O'Keeffe gehört zu den wichtigsten
amerikanischen Künstlern und ist bekannt als die
«Mutter der amerikanischen Moderne». Als eine der
ersten amerikanischen Künstler machte O'Keeffe
abstrakte Kunst. Ihre großformatigen Bilder von
Gebeinen, Blumen und der Wüste von New Mexico
waren nicht realistisch, sondern ein Spiegel ihrer
eigenen Erlebnisse in diesen Landschaften.

LJUBOW POPOWA

1889 – 1924 | Russland

Ljubow Popowa war ein bedeutendes Mitglied der russischen Kunstbewegung des Konstruktivismus. Ihren abstrakten Gemälden mit den geometrischen Formen wohnt ein Moment der Bewegung inne. Nach der Russischen Revolution von 1917 verlegte sich Popowa auf die Entwicklung alltäglicher Gegenstände, die in Massenproduktion hergestellt werden konnten und damit für jedermann verfügbar waren, darunter Stoffe, Kleider, Poster und Bücher. Sie starb im Alter von 35 Jahren.

FAITH RINGGOLD

* 1930 | USA

Faith Ringgold ist eine preisgekrönte amerikanische Künstlerin. Sie arbeitet in verschiedensten Bereichen, darunter Malerei, Quiltherstellung, Skulptur und Performancekunst. Ihr Leben lang hat Ringgold für Rassen- und Geschlechtergleichheit gekämpft. Sie hat anderen farbigen und weiblichen Künstlern den Weg geebnet, um für ihr Werk anerkannt zu werden.

AMRITA SHER-GIL

1913 – 1941 | Ungarn, Indien

Als Tochter eines Sikh und einer Ungarin pendelte
Amrita Sher-Gil ihr Leben lang zwischen Indien
und Europa. In ihren Bildern kombinierte sie die
Techniken, die sie an der Kunstakademie in Paris
gelernt hatte, mit traditioneller indischer Kunst und
zeigte das ländliche Leben in Indien aus moderner
Perspektive. Sie starb plötzlich und unerwartet mit
28 Jahren.

ALMA THOMAS

1891 – 1978 | USA

Alma Thomas war Kunstlehrerin und Künstlerin.
Ihren eigenwilligen Stil entwickelte sie erst, nachdem
sie sich zur Ruhe gesetzt hatte. In ihren abstrakten
Gemälden schuf sie mit dicken Farbklecksen
lebendige, farbenfrohe Flächen. Alma Thomas war die
erste Afroamerikanerin, der das Whitney Museum in
New York 1972 eine Einzelausstellung widmete.

SUZANNE VALADON

1865 – 1938 | Frankreich

Suzanne Valadon wurde als erste Malerin in die Société
Nationale des Beaux-Arts aufgenommen, die die besten
zeitgenössischen Künstler Frankreichs ausstellte.
Durch ihre Arbeit als Modell für Künstler wie Degas
oder Toulouse-Lautrec kam sie zur Malerei. Valadon
zeigte die Frauen in ihren einzigartigen Bildern nicht
mehr in gestellten, sondern in natürlichen Posen.

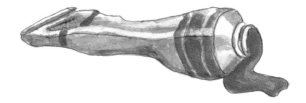

GLOSSAR

ABSTRAKTE KUNST Kunstwerke, die keine figürlichen Formen abbilden, sondern mit gegenstandslosen Flächen, Linien und Farben Vorstellungen beim Betrachter auslösen wollen.

AMAUTI ein Parka-Mantel der Inuit-Frauen im Norden Kanadas. Auf dem Rücken ist eine Tasche eingenäht, um ein Baby tragen zu können.

APPLIKATIONSSTICKEREI eine Handarbeit, bei der einzelne Stoffstücke auf einen größeren Stoff aufgenäht werden, um ein Muster zu erstellen.

AVANTGARDE ein Begriff für Ideen, Menschen und Kunstwerke, die radikal neu und ihrer Zeit voraus sind.

BATIK eine Methode, mit der man Muster auf einen Stoff bringen kann, indem man geschmolzenes Wachs auf den Stoff aufträgt und ihn anschließend einfärbt.

BILDHAUER ein Künstler, der Skulpturen anfertigt.

BLATTGOLD Gold, das zu hauchdünnen Blättern zerschlagen wird, sodass Künstler es benutzen können, wenn sie auf einem Bild reines Gold auftragen möchten. Wird auch in der Innendekoration zur Zierde verwendet, zum Beispiel im Theater.

COLLAGE ein Kunstwerk bzw. eine Methode zur Herstellung von Kunstwerken, bei der verschiedene Materialien auf eine Oberfläche aufgeklebt werden, um ein Gesamtbild zu kreieren.

DADA eine radikale Kunstbewegung mit Ursprung in der Schweiz. Entsetzt von der Gewalt des Ersten Weltkriegs, schufen die Dadaisten als Reaktion darauf Bilder, Collagen, Gedichte und Performances, in denen Humor und Unsinn eine zentrale Rolle spielten.

DRUCK eine Methode, um Gemälde, Zeichnungen oder Wörter mittels Druck auf Papier oder Stoff zu übertragen. Eine Druckmethode ist zum Beispiel der Steinschnitt: Man behaut einen flachen Steinblock, bestreicht ihn mit einer dünnen Schicht Tinte und drückt dann ein Blatt Papier darauf.

FOTOMONTAGE ein Kunstwerk und eine Methode, bei der verschiedene Fotos ausgeschnitten, miteinander kombiniert und übereinandergelegt werden, um ein neues Bild zu kreieren.

FRESKO eine Methode, bei der direkt auf den feuchten Putz einer Wand oder Decke gemalt wird, sodass sich die Farbe mit dem Putz verbindet.

FUTURISMUS eine Kunstbewegung, die Anfang des 20. Jahrhunderts in Italien aufkam. Die Futuristen lehnten die Vergangenheit ab und feierten die aufregenden neuen Technologien der modernen Welt.

IMPRESSIONISMUS eine Kunst-bewegung, die Ende des 19. Jahrhunderts in Frankreich aufkam. Die Impressionisten wollten die Szene, die sie darstellen, nicht wirklichkeitsgetreu abbilden, sondern eine Impression, d. h. einen «Eindruck», davon schaffen.

KARIKATUR ein stark übertriebenes und dadurch komisch wirkendes Porträt einer Person.

KONSTRUKTIVISMUS eine Kunstbewegung, die nach der Russischen Revolution von 1917 entstand. Künstler, Architekten und Designer sahen Kunst als eine Möglichkeit, um eine neue, gleichberechtigte Gesellschaft zu schaffen.

KUBISMUS eine Kunstbewegung, die Anfang des 20. Jahrhunderts in Paris aufkam. Die Künstler schufen Gemälde und Skulpturen, in denen mehrere Perspektiven gleichzeitig vorhanden sind.

LANDSCHAFTSMALEREI Gemälde von Landschaften oder Szenen in der freien Natur.

LEINWAND ein Material, auf dem man malen kann. Es besteht aus einem festen Stoff, der straff über einen Rahmen gespannt wird.

MINIMALISMUS eine Form der abstrakten Kunst, die nicht versuchen will, etwas abzubilden. Die minimalistische Kunst entstand in den 1960er Jahren in den USA und beruht oftmals auf geometrischen Formen.

MODERNE verschiedene Kunst-bewegungen, die auf der ganzen Welt Einfluss ausübten. Die Moderne wandte sich von der traditionellen Kunst ab und suchte nach neuen Möglichkeiten, um die Lebenswirklichkeit des 20. Jahrhunderts darzustellen.

PALETTE ein Brett, auf dem die Farben gemischt werden. Auch eine Bezeichnung für die Bandbreite der von einem Künstler benutzten Farben.

PERSPEKTIVE eine Methode, mit der im Bild eine Illusion von Tiefe erzeugt wird, um ein flaches Bild dreidimensional aussehen zu lassen.

PHÖNIX ein Vogel aus der Mythologie, der am Ende seines Lebens verbrennt und

dann aus seiner eigenen Asche wiederauf-
ersteht. Im übertragenen Sinn eine Person,
die erfolgreich einen neuen Versuch wagt.

POP ART eine Kunstbewegung, die in den
1950er und 1960er Jahren in den USA und
Großbritannien populär war. Die Pop-Art-
Künstler ließen sich von der Populärkultur
inspirieren, zum Beispiel von Werbung, Kino
oder Comics.

PORTRÄT eine Zeichnung, ein Gemälde
oder eine Skulptur einer realen Person.

QARMAQ ein Zelt aus Robbenfell, in dem
die Inuit-Familien im Norden Kanadas
wohnten.

RETABLO ein religiöses Bild, das auf eine
kleine Metallplatte gemalt wird, oft in
Kirchen in Mexiko zu sehen.

REVOLUTION eine große, plötzliche,
oftmals gewalttätige Veränderung in der
Regierung und Organisation einer
Gesellschaft, zum Beispiel bei der
Russischen oder der Mexikanischen
Revolution. Das Wort «Revolution» kann
auch in anderer Hinsicht umwälzende
Veränderungen bezeichnen, etwa in Kunst
oder Technik.

SALON die offizielle Kunstausstellung der
Königlichen Akademie für Malerei und
Bildhauerei in Paris. Ein Salon kann auch
eine Zusammenkunft von Menschen sein,
die über Kunst und Kultur debattieren.

SELBSTPORTRÄT oder **SELBST–
BILDNIS** ein Bild, das der Künstler von sich
selbst anfertigt.

SKIZZE eine schnelle, einfache Zeichnung.
Manchmal fertigt ein Künstler mehrere
Skizzen an, bevor er ein größeres Kunstwerk
malt.

SKULPTUR eine dreidimensionale Figur
oder ein Objekt, das aus Stein, Ton oder Gips
hergestellt wird.

STAFFELEI ein Holzgestell, auf das der
Künstler seine Leinwand stellen kann,
während er malt oder zeichnet.

STILLLEBEN ein Gemälde von Dingen
wie Blumen, Früchten oder Haushalts-
gegenständen.

SURREALISMUS eine Kunstbewegung,
die Anfang des 20. Jahrhunderts in Europa
entstand. Das Wort «surreal» bedeutet
«über der Wirklichkeit». Viele Surrealisten
malten ihre Träume oder schufen
phantasievolle, ungewöhnliche Bilder,
die sozusagen über die Wirklichkeit
hinausgingen.

TRAUMZEIT Geschichten und
Vorstellungen, die beschreiben, wie die
natürliche Welt von den heiligen Vorfahren
der australischen Aborigines erschaffen
wurde.

WANDGEMÄLDE ein großes Gemälde, das direkt auf eine Wand gemalt wird.

WIRTSCHAFTSKRISE Die Weltwirtschaftskrise, in Amerika auch «Große Depression» genannt, begann 1929 in den USA und weitete sich auf die ganze Welt aus. Viele Menschen verloren ihre Arbeit oder bekamen so wenig Geld, dass sie nicht genug zu essen kaufen und ihre Rechnungen nicht bezahlen konnten.

ZEICHENKOHLE Stäbchen aus verkohltem Holz, die zum Zeichnen benutzt werden.

DANK

Vielen Dank an Anna Ridley und Sophy Thompson von Thames & Hudson für ihre Begeisterung für dieses Projekt sowie an meine Verlegerin Harriet Birkinshaw und die Designerin Belinda Webster, die mir geholfen haben, die Geschichten und Bilder zum Klingen zu bringen. Dank an Henry und Sasha Garfit von der Newlyn School of Art, dass sie mich in ihre Mitte aufgenommen und mir die Gelegenheit gegeben haben, von einigen unglaublichen Künstlern zu lernen. Dank an Pippa Best und Pippa Lilley – dieses Projekt verdankt sich auch eurer Unterstützung. Der Montagmorgen ist am schönsten mit euch! Dank an Martin und Kate, KB und viele andere Freunde, die mir stets den Rücken freigehalten haben. Meine Zielgruppe der aufstrebenden, hochkreativen Künstler der nächsten Generation: Ich bin gespannt auf all die Wunder, die ihr vollbringen werdet. Küsse und immerwährender Dank an meine Mutter Marie für ihre Liebe und Unterstützung und dafür, dass sie mich daran erinnert hat, dass eine Künstlerin in mir steckt. Und natürlich gilt der allergrößte Dank meinem Mann und Helden Huw und unserer Tochter Nell. Ihr seid großartig. Mit euch an meiner Seite ist alles möglich. Und noch ein letztes Wort: Nell, ich habe dieses Buch geschrieben, weil ich funkensprühende Kreativität in dir sehe und dir etwas geben wollte, was dich vielleicht dazu anregt, deine Einzigartigkeit in Kunst zu verwandeln. Ich habe aus den Geschichten dieser Frauen viel Kraft für mich geschöpft und hoffe, dass es dir und deinen Freunden ähnlich ergeht.

BIBLIOGRAPHIE

KENOJUAK ASHEVAK

Boyd Ryan, Leslie: Cape Dorset Prints, a
Retrospective, Portland 2007
Leoux, Odette und Jackson, Marion E.:
Inuit Women Artists. Voices from Cape Dorset,
Toronto 1996

BARBARA HEPWORTH

Bowness, Alan: Barbara Hepworth. Drawings
from a Sculptor's Landscape, London 1967
Bowness, Sophie: Barbara Hepworth. Writings
and Conversations, New York 2016

HANNAH HÖCH

Remmert, Herbert und Barth, Peter: Hannah
Höch. Werke und Worte, Berlin 1982
Schweitzer, Cara: Schrankenlose Freiheit für
Hannah Höch. Das Leben einer Künstlerin
1889–1978, Berlin 2011

TOVE JANSSON

Jansson, Tove: Mumins. Die gesammelten
Comic-Strips, (5 Bde.), Berlin 2008–2012
Karjalainen, Tuula: Tove Jansson. Die Biographie,
Stuttgart 2014

FRIDA KAHLO

Herrera, Hayden: Frida. Ein leidenschaftliches
Leben, Frankfurt a.M. 2008

CORITA KENT

Ault, Julie: Come Alive! The Spirited Art of Sister
Corita, London 2006
Dackerman, Susan und Roberts, Jennifer L.:
Corita Kent and the Language of Pop, Yale 2015

EMILY KAME KNGWARREYE

Neale, Margo: Origins, Utopia. The Genius of
Emily Kame Kngwarreye, Canberra 2008

YAYOI KUSAMA

Kusama, Yayoi: Infinity Net. Meine Auto-
biografie, Bern/Wien 2017
Turner, Grady T.: Yayoi Kusama interview,
BOMB Magazine, New York 1999

GABRIELE MÜNTER

Heller, Reinhold: Gabriele Münter. The years of
expressionism, 1903–1920, New York 1997
Jansen, Isabelle: Gabriele Münter. Malen ohne
Umschweife, München 2017

GEORGIA O'KEEFFE

O'Keeffe, Georgia: Georgia O'Keeffe, New York 1976
O'Keeffe, Georgia: Some Memories of Drawings, New York 1976
O'Keeffe, Georgia und Hoffman, Katherine: An Enduring Spirit. The Art of Georgia O'Keeffe, New Jersey 1984

LYUBOW POPOWA

Hutton, Marcelline: Remarkable Russian Women in Pictures, Prose and Poetry, Nebraska 2014

FAITH RINGGOLD

Glueck, Grace: An Artist Who Turns Cloth into Social Commentary, New York Times, New York 1984
Ringgold, Faith und Withers, Josephine: Faith Ringgold. Art, Feminist Studies, Bd. 6, Nr. 1 (Frühjahr), Washington D.C. 1980

AMRITA SHER-GIL

Dalmia, Yashodhara: Amrita Sher-Gil. A Life, London 2013
Mitter, Partha: The Triumph of Modernism. India's Artists and the Avant-garde 1922–1947, London 2007

ALMA THOMAS

Foresta, Merry A.: A Life in Art. Alma Thomas 1897–1978, Washington D.C. 1981

SUZANNE VALADON

Hewitt, Catherin: Renoir's Dancer. The Secret Life of Suzanne Valadon, London 2017
Rosinsky, Thérèse D.: Suzanne Valadon, New York 1994

LISTE DER KUNSTWERKE

Seite 13 KENOJUAK ASHEVAK

Wachende Eule, 1997

Radierung und Aquatinta auf Velinbögen, 80 x 98 cm.
Nachdruck mit Genehmigung von Dorset Fine Arts

Seite 16–17 KENOJUAK ASHEVAK

Sechsteilige Harmonie, 2011

Steinschnitt und Schablone auf Kizuki-Kozo weiß,
62 x 99,5 cm. Nachdruck mit Genehmigung von Dorset
Fine Arts

Seite 22 BARBARA HEPWORTH

Biolith, 1948/49

Blauer Kalkstein (Ancaster-Stein), 123,2 cm. Yale Center
for British Art, Geschenk von Virginia Vogel Mattern
zur Erinnerung an ihren Mann W. Gray Mattern, Yale
College, Yale BA 1946. Barbara Hepworth © Bowness

Seite 25 BARBARA HEPWORTH

Nachthimmel (Porthmeor), 1964

Öl und Bleistift auf Gesso-grundierter Pappe,
70 x 61 cm. Privatsammlung. Foto © Christie's Images/
Bridgeman Images. Barbara Hepworth © Bowness

Seite 29 HANNAH HÖCH

Schnitt mit dem Küchenmesser Dada durch die letzte
Weimarer Bierbauch-Kulturepoche Deutschlands, 1919

Collage, 114 x 90 cm. Nationalgalerie, Staatliche
Museen zu Berlin. © DACS 2019

Seite 36 TOVE JANSSON

Abstrakte See, 1963

Öl auf Leinwand, 73 x 100 cm. Privatsammlung.
© Tove Jansson Estate

Seite 39 TOVE JANSSON

Skizze für das Buch «Mumins einsame Insel»,
1953 – 1959
© Moomin Characters

Seite 45 FRIDA KAHLO

Selbstbildnis auf der Grenze zwischen Mexiko und den
USA, 1932

Öl auf Kupfer, 31 x 35 cm. Privatsammlung. © Banco
de México Diego Rivera Frida Kahlo Museums Trust,
Mexiko, D.F./DACS 2019

Seite 46 FRIDA KAHLO

Selbstbildnis mit Affen, 1938

Öl auf Masonit, 40,64 x 30,48 cm. Sammlung der
Albright-Knox Art Gallery, Buffalo, New York. Nachlass
von A. Conger Goodyear, 1966. © Banco de México
Diego Rivera Frida Kahlo Museums Trust, Mexico,
D.F./DACS 2019

Seite 53 CORITA KENT

Einbahnstraße, 1967

Siebdruck, 43,2 x 58,4 cm. Abgedruckt mit
Genehmigung des Corita Art Center, Immaculate
Heart Community, Los Angeles

Seite 56 CORITA KENT

E Auge Liebe, 1968

Aus der Serie Circus Alphabet, Siebdruck, 58,4 x 58,4 cm.
Abgedruckt mit Genehmigung des Corita Art Center,
Immaculate Heart Community, Los Angeles

Seite 62–63 EMILY KAME KNGWARREYE

Große Yamswurzeln, 1996

Synthetisches Polymer auf Leinwand, 401 x 245 cm.
National Gallery of Victoria, Melbourne, Australien.
Von der Women's Association der National Gallery zu
Ehren der Leitung des Museums durch Dr. Timothy
Potts erworben, 1998. Foto Bridgeman Images
© Emily Kame Kngwarreye/Copyright Agency.
Lizenziert von DACS 2019

Seite 69 YAYOI KUSAMA

Nr. F, 1959

Öl auf Leinwand, 105,4 x 132,1 cm. New York, Museum
of Modern Art (MoMA), Sid R. Bass Fund. Foto The
Museum of Modern Art, New York/Scala, Florenz.
© Yayoi Kusama

Seite 73 YAYOI KUSAMA

Meine ewige Liebe zu den Kürbissen, 2016

Installation, verschiedene Medien. © Yayoi Kusama

Seite 79 GABRIELE MÜNTER

Mai-Abend in Stockholm, 1916

Öl auf Leinwand, 60,6 x 45,4 cm. Privatsammlung. Foto
© Christie's Images/Bridgeman Images. © DACS 2019

Seite 80 GABRIELE MÜNTER

Der blaue See, 1934

Öl auf Leinwand, 50 x 65 cm. Lentos Kunstmuseum
Linz. Foto Lentos Kunstmuseum Linz. © DACS 2019

Seite 85 GEORGIA O'KEEFFE

Sommertage, 1936

Öl auf Leinwand, 91,8 x 76,5 cm. Geschenk von Calvin
Klein. New York, Whitney Museum of American Art.

Foto © 2019 Digitalbild Whitney Museum of American
Art / Lizenziert von Scala. © Georgia O'Keeffe
Museum/DACS 2019

Seite 86 GEORGIA O'KEEFFE

Stechapfel/Weiße Blüte Nr. 1, 1932

Öl auf Leinwand, 121,9 x 101,6 cm. Crystal Bridges
Museum of American Art, Bentonville, Arkansas.
© Georgia O'Keeffe Museum/DACS 2019

Seite 93 LJUBOW POPOWA

Raum-Kraft-Konstruktion, 1920/21

Öl mit Holzstaub auf Sperrholz 112,3 x 112,5 cm.
Staatliches Museum für Zeitgenössische Kunst,
Thessaloniki

Seite 94 LJUBOW POPOWA

Architektonisches Gemälde, 1917

Öl auf Leinwand, 83,82 × 61,6 cm. LACMA, Los Angeles
County Museum of Art. Mit Mitteln des Estate of
Hans G. M. de Schulthess und des David E. Bright
Bequest erworben

Seite 97 LJUBOW POPOWA

Produktionskleidung Nr. 1, 1921

Gouache auf Papier, 34 x 21 cm. The Picture Art
Collection / Alamy Stock Photo

Seite 101 FAITH RINGGOLD

Teerstrand (Teil I der Reihe Frau auf Brücke), 1988

Acryl auf Leinwand, gerahmt mit bedrucktem,
bemaltem, abgestepptem und zusammengesetztem
Stoff. 189,5 x 174 cm. Solomon R. Guggenheim
Museum, New York. © Faith Ringgold/ARS, NY und
DACS, London 2019

ÜBER DIE AUTORIN

KARI HERBERT ist Autorin und Illustratorin. Sie studierte am Exeter College of Art, ihre Bücher, Kunstwerke und Fotografien werden weltweit ausgestellt und veröffentlicht. Aufgewachsen ist sie in Grönland, aber inzwischen wohnt sie in Cornwall, wo sie einen Blog für die angesehene Newlyn School of Art schreibt. Sie hat mehrere Bücher über Welterforschung, die Geschichte der Frau und Bildkultur geschrieben, zuletzt zusammen mit ihrem Mann Huw Lewis-Jones den preisgekrönten internationalen Bestseller Explorers' Sketchbooks. Wenn Kari nicht gerade in wilden und verworrenen Gegenden unterwegs ist, findet man sie wahrscheinlich arbeitend am Meer.

REGISTER

Durchgehend farbig bebildert.

2. Auflage 2020

Für die deutsche Ausgabe:
© Verlag C.H.Beck oHG, München 2019
Satz: Seria Sans OT im Verlag
Druck und Bindung: DZS-Grafik d.o.o., Slowenien
Umschlaggestaltung: Chris Campe, All things letters, Hamburg
Umschlagabbildungen: Kari Herbert, Frida Kahlo und
Yayoi Kusama; Lettering von Chris Campe
Gedruckt auf alterungsbeständigem, säurefreiem Papier
(hergestellt aus chlorfrei gebleichtem Zellstoff)
Printed in Slovenia
ISBN 978 3 406 74147 0

www.chbeck.de